El aprendiz del Espectro

El aprendiz del Espectro

Joseph Delaney

Traducción de
Inés Belaustegui

Rocaeditorial

Título original: *The Spook's Apprentice*

Primera edición: enero de 2005

Marquès de l'Argentera, 17. Pral. 1.ª
08003 Barcelona
correo@rocaeditorial.com
www.rocaeditorial.com

Impreso por Industria Gráfica Domingo, S.A.
Industria, 1
Sant Joan Despí (Barcelona)

ISBN: 84-96284-47-6
Depósito legal: B. 44.052-2004

A Marie

El lugar más elevado del condado está marcado por el misterio. Dicen que una vez, durante una terrible tormenta, murió allí un hombre mientras apresaba a una malvada criatura que tenía amenazado al mundo entero. Entonces, el hielo volvió a cubrirlo todo, y cuando al fin se retiró, apareció alterada hasta la forma de las montañas y cambiado el nombre de las poblaciones de los valles. Hoy en día, en ese punto elevado que se alza en medio de las colinas rocosas, no queda ni rastro de lo que ocurrió hace tanto tiempo. Sin embargo, ha perdurado su nombre. Lo llaman...

LA PIEDRA DE WARD

Capítulo 1
Un séptimo hijo

Había empezado a oscurecer cuando llegó el Espectro. La jornada había sido larga y agotadora, y yo estaba a punto de cenar.

—¿Estás seguro de que es un séptimo hijo? —preguntó. Me miraba con atención moviendo la cabeza con gesto de duda.

Mi padre asintió.

—¿Y tú también fuiste un séptimo hijo?

Papá volvió a asentir en silencio y se puso a zapatear con impaciencia, de modo que salpicó mis pantalones con gotitas de barro y de estiércol. De la visera de la gorra le chorreaba agua de lluvia. Había estado lloviendo casi todo el mes, y en los árboles habían brotado hojas nuevas, pero el clima primaveral tardaría aún mucho en llegar.

Mi padre era granjero, igual que su padre. La primera regla de la vida de los granjeros es mantener unida la hacienda y no dividirla entre los hijos, pues a cada generación la propiedad iría menguando hasta quedar en nada. Por ese motivo, el padre la lega al primogénito y luego busca una ocupación para los demás hijos; si es posible, trata de encontrarles un oficio.

Para conseguirlo, necesita pedir muchos favores. La herrería es una opción, sobre todo cuando la granja es grande y ha proporcionado al herrero trabajo en abundancia. En ese caso, lo más seguro es que el herrero ofrezca un empleo de aprendiz, pero aun así sólo se habrá colocado a uno de los hijos.

Yo era el séptimo hijo, y cuando me tocó a mí, mi padre ya había recurrido a todos los favores y estaba tan desesperado que quería que el Espectro me diese trabajo de aprendiz. O al menos es lo que pensé en aquel momento. Tendría que haber supuesto que mi madre andaba detrás de todo eso.

Ella estaba detrás de muchas cosas, pues mucho antes de que yo naciera, nuestra granja se compró con su dinero. ¿De qué otro modo, si no, podría habérselo permitido un séptimo hijo? Además, mamá no era del condado sino que provenía de una comarca lejana, del otro lado del mar. La mayoría de la gente no lo notaba, pero algunas veces, si la escuchabas atentamente, percibías una ligera diferencia en su manera de pronunciar ciertas palabras.

Pero no os creáis que me estaban vendiendo como esclavo ni nada parecido. La vida de granjero me aburría, y lo que ellos llamaban «la ciudad» no era más que un villorrio perdido en medio de la nada. Desde luego no era el lugar donde quería pasar el resto de mi vida. Así que, en cierto modo, no le hacía ascos a la idea de convertirme en espectro; era mucho más interesante que ordeñar vacas y echar estiércol.

No obstante, estaba nervioso, porque era un trabajo que daba miedo. Tendría que aprender a proteger granjas y pueblos de cosas que asustan, y vérmelas con demonios necrófagos, boggarts[1] y toda clase de bestias malvadas; sería el pan

1. El boggart es una criatura muy conocida en el folclore del norte de Inglaterra. Se trata de un espíritu de formas cambiantes que, si bien normalmente es invisible, puede materializarse bajo la apariencia de un ser humano, de un animal, de un esqueleto o incluso de un demonio. La mayoría de los boggarts se lo pasa pipa asustando a la gente. Según cuenta la tradición, se sabe que una de estas molestas criaturas está rondando cerca si las puertas se cierran de golpe o si se oyen misteriosos ruidos que hacen eco por toda la casa. Los boggarts más maliciosos rondan por los caminos oscuros y asustan a los viajeros solitarios; a veces, los dejan heridos o muertos. *(N. de la T.)*

de cada día. A eso se dedicaba el Espectro, y yo iba a convertirme en su aprendiz.

—¿Cuántos años tiene? —preguntó el Espectro.

—El próximo agosto cumplirá los trece.

—Un poco canijo para su edad. ¿Sabe leer y escribir?

—Sí —respondió papá—. Lee, escribe y también sabe griego. Su madre le enseñó, y lo hablaba casi antes de aprender a andar.

El Espectro asintió y se volvió para mirar la granja, más allá de la verja en la que terminaba el sendero embarrado, como si estuviese aguzando el oído para captar algo. Luego se encogió de hombros.

—Es una vida bastante dura para un hombre adulto, y no digamos para un crío —dijo—. ¿Crees que vale para el oficio?

—Es fuerte y, cuando termine de crecer, será tan alto como yo —contestó mi padre, que enderezó la espalda y se irguió al máximo. Al hacerlo, la coronilla le quedó exactamente a la altura del mentón del Espectro.

De repente éste sonrió; era lo último que hubiera esperado de él. El rostro del Espectro era ancho y alargado, y parecía cincelado en roca. Hasta ese instante lo había tomado por un ser un tanto temible; con su larga capa negra y la capucha puesta parecía un sacerdote, pero cuando te miraba directamente, su adusto semblante más bien le daba el aspecto de un verdugo que estuviese calculando tu peso para preparar la horca.

Los cabellos que le asomaban por la parte delantera de la capucha eran del mismo color que la barba, que era gris, pero tenía las cejas negras y muy pobladas. De las aletas de la nariz le asomaba también un poco de vello negro, y tenía los ojos verdes, del mismo tono que los míos.

Entonces me percaté de otro detalle: llevaba un cayado largo. Lo había visto en cuanto apareció a lo lejos, claro, pero de lo que no me había dado cuenta hasta ese instante era de que lo sujetaba con la mano izquierda.

¿Quería eso decir que era zurdo, como yo?

Esa particularidad era algo que jamás había dejado de causarme dificultades en la escuela del pueblo. Una vez incluso hicieron venir al cura para que me observase, y el hombre no paró de mover negativamente la cabeza y de decirme que tendría que combatir esa tendencia antes de que fuese demasiado tarde. Yo no sabía a qué se refería. Ni mi padre ni ninguno de mis hermanos eran zurdos. Mi madre sí era zurda, pero nunca vi que le molestase mucho. Cuando el maestro amenazó con curarme a base de palos y me ató la plumilla a la mano derecha, mamá me sacó de la escuela y, a partir de ese día, ella misma se ocupó de mi educación en casa.

—¿Cuánto pides por tenerlo de aprendiz? —preguntó mi padre interrumpiendo mis pensamientos. Había llegado el momento de hablar de negocios.

—Dos guineas por un mes de prueba. Si vale, regresaré en otoño, y me deberás diez más. Si no, te lo devolveré, y sólo tendrás que darme una guinea por las molestias.

Mi padre aceptó y cerraron el trato. Entonces entramos en el granero, y se hizo el pago de las guineas, pero en ningún momento se estrecharon la mano. Nadie quiere tocar a un espectro. Bastante valor estaba demostrando mi padre al mantenerse a dos metros de él.

—Tengo cosas que hacer por aquí cerca —dijo el Espectro—, pero volveré a por el muchacho con las primeras luces del alba. Cerciórate de que esté preparado. No me gusta que me hagan esperar.

Una vez que se hubo marchado, papá me dio unas palmaditas en el hombro.

—Ahora empiezas una vida nueva, hijo —me dijo—. Anda, ve a lavarte. La granja ya se ha acabado para ti.

ϒ

Cuando entré en la cocina, mi hermano Jack tenía abrazada por la cintura a su esposa, Ellie, y ella le miraba con una sonrisa en los labios.

Me encanta Ellie. Te demuestra de tal manera su afecto que notas que se preocupa de verdad por ti. Mi madre asegura que para Jack ha sido una bendición casarse con ella, porque lo ha ayudado a ser menos inquieto.

Jack es el mayor y el más fornido de todos nosotros. Papá dice a veces, en broma, que es el más guapo de una cuadrilla de feos, pero yo nunca he estado de acuerdo con esa opinión porque, aunque es grande y fuerte, y a pesar de los ojos azules y de las mejillas sonrosadas que rebosan salud, tiene unas cejas negras muy pobladas que casi se le juntan en el centro. Una cosa que nunca he discutido es que se las ingenió para casarse con una mujer bondadosa y bonita: Ellie tiene los cabellos del color de la paja de la mejor calidad tres días después de una buena cosecha, y una piel que, sin duda, resplandece a la luz de las velas.

—Me marcho mañana por la mañana —les anuncié—. El Espectro vendrá a buscarme al alba.

El rostro de Ellie se iluminó.

—¿Quieres decir que ha accedido a contratarte?

—Me da un mes de prueba —asentí.

—¡Bien hecho, Tom. Me alegro mucho por ti! —dijo ella.

—¡No me lo puedo creer! —se mofó Jack—. ¡Tú, aprendiz de espectro! ¿Cómo vas a hacer un trabajo semejante, si todavía no eres capaz de dormir sin tener cerca una vela encendida?

Me reí de su broma, pero en parte tenía razón. A veces veía cosas en la oscuridad, y una vela encendida era la mejor manera de mantenerlas a raya y poder dormir.

Jack se acercó a mí y, lanzando un rugido, me aprisionó la cabeza con los brazos y empezó a arrastrarme alrededor de la mesa de la cocina. Para él era una gracia. Me resistí un poco, lo justo para seguirle el juego, y a los pocos segundos me soltó y me acarició la espalda.

—¡Muy bien, Tom! —exclamó—. Con ese empleo ganarás una fortuna. Lo malo es que...

—¿Qué? —pregunté.

—Que vas a necesitar hasta el último penique que ganes. ¿Sabes por qué? —Me encogí de hombros—. ¡Porque los únicos amigos que tendrás serán los que compres!

Traté de sonreír, pero había mucha verdad en las palabras de Jack. Los espectros trabajan y viven solos.

—¡Vamos, Jack! ¡No seas cruel! —lo riñó Ellie.

—Sólo era una broma —replicó Jack, como si no pudiera comprender por qué se enojaba su esposa. Pero Ellie me estaba mirando a mí en vez de a Jack, y vi que de repente se ponía triste.

—¡Oh, Tom! —exclamó—. Eso significa que no vas a estar aquí cuando nazca el bebé...

Se había llevado una verdadera desilusión, y me entristecí al pensar que no estaría en casa para ver a mi nueva sobrina. Mi madre había dicho que el bebé de Ellie iba a ser niña, y nunca se equivocaba con esas cosas.

—Vendré a veros en cuanto pueda —le prometí.

Ellie intentó sonreír, y Jack se acercó a mí y me apoyó un brazo en los hombros.

—Siempre tendrás a tu familia —afirmó—. Siempre estaremos aquí cuando nos necesites.

Una hora después me senté a cenar, consciente de que a la mañana siguiente me marcharía de casa. Mi padre bendijo la mesa, como hacía cada noche, y todos, excepto mamá, murmuramos «Amén». (Como de costumbre, mi madre se limitó a mirar el plato de comida mientras aguardaba educadamente que papá terminase.) Una vez dicha la bendición, mamá me dedicó una sonrisa, que fue cálida y muy especial, pero creo que nadie más se dio cuenta. Ese gesto me reconfortó.

El fuego seguía llameando en la chimenea y caldeaba la cocina. En medio de la gran mesa de madera había un candelabro de latón tan pulido que podías verte la cara reflejada en él. La vela, que estaba hecha con cera de abejas, era muy cara, pero mi madre no quería velas de sebo en la cocina por el olor que desprenden. (Mi padre tomaba casi todas las decisiones relativas a la granja, pero en determinadas parcelas de la vida cotidiana se hacía lo que mamá decía.)

Al ponernos a comer el humeante guiso que teníamos en los enormes platos, me llamó la atención lo viejo que parecía mi padre esa noche; viejo y cansado. Por su semblante cruzaba de cuando en cuando una expresión diferente, una especie de tristeza. No obstante, se animó un poco cuando él y Jack se pusieron a hablar del precio de la carne de cerdo y a debatir sobre si había llegado o no la hora de llamar al matarife.

—Será mejor que esperemos otro mes más o así —dijo papá—. Seguro que los precios subirán.

Jack negó con la cabeza, y empezaron a discutir. Era una conversación amistosa, como las que suelen tener lugar en el seno de las familias, y yo percibía que mi padre disfrutaba. Sin embargo, no quise intervenir porque esos asuntos habían terminado para mí. Como me había dicho papá, yo ya no tenía nada que ver con la granja.

Mi madre y Ellie charlaban en voz baja. Intenté captar de qué hablaban, pero Jack aducía sus argumentos a pleno pulmón, cada vez más fuerte. Mamá lo miró y me di cuenta de que ella no quería que armara tanto alboroto.

Sin hacer caso de las miradas de mamá, Jack prosiguió a voz en grito y alargó el brazo para coger el salero, que se le cayó sin querer, y derramó un montoncito de sal en la mesa. Inmediatamente cogió un puñado y se lo echó por encima del hombro izquierdo. Es una antigua superstición del condado. Se supone que al hacerlo ahuyentas la mala suerte que se te avecina por haber derramado la sal.

—Jack, no hace falta que añadas sal —le corrigió mamá—. ¡Echa a perder un buen guiso y es una ofensa para la cocinera!

—Disculpa, mamá —dijo Jack—. Tienes razón. Así está riquísimo.

Ella le sonrió y luego hizo un gesto con la cabeza señalándome.

—Además, no habéis tenido ni una palabra para Tom. No son formas de tratarle en su última noche en casa.

—No pasa nada, mamá —repuse—. Me sobra con estar aquí sentado y escuchar.

—Bien —asintió ella—, pero yo sí tengo unas cuantas cosas que decirte. Quédate en la cocina después de la cena para que podamos charlar.

Así pues, en cuanto Jack, Ellie y papá se hubieron marchado a dormir, me senté en una silla junto al fuego y aguardé pacientemente para escuchar lo que mi madre tenía que decirme.

Ella era una mujer a la que no le gustaba hacer aspavientos. Al principio se limitó a explicarme lo que había guardado para mí en un fardo: una muda de pantalones, tres camisas y dos pares de calcetines buenos que sólo tenían remiendos en un calcetín de cada par.

Me quedé mirando las ascuas y dando suaves toques con los pies en el suelo de piedra, mientras mamá arrimaba al fuego su mecedora para sentarse frente a mí. Si no hubiera sido por unas pocas mechas grises que le adornaban la negra melena, tendría el mismo aspecto que en la época en que yo empezaba a dar los primeros pasos y apenas le llegaba a la altura de las rodillas; conservaba el mismo brillo en los ojos y, salvo por la pálida tez, era la personificación de la buena salud.

—Ésta es la última ocasión que tendremos de hablar a solas hasta dentro de algún tiempo —dijo—. El hecho de marcharte de casa e independizarte es un gran paso, así que si hay algo que necesites decir o algo que necesites preguntar, ahora es el momento de hacerlo.

No se me ocurría ninguna pregunta. De hecho, ni siquiera pensaba. Pero al escucharle decir esas palabras, los ojos se me llenaron de lágrimas.

Durante un buen rato permanecimos en silencio. Lo único que oía era el sonido de mis pies que golpeaban suavemente las baldosas. Al final mi madre suspiró.

—¿Qué te pasa? —preguntó—. ¿Se te ha comido la lengua el gato? —Me encogí de hombros—. No te distraigas, Tom, y concéntrate en lo que te estoy diciendo —me advirtió—. En primer lugar, ¿tienes ganas de que llegue la mañana y de iniciar tu nuevo empleo?

—No estoy seguro, mamá —contesté, pues se me venía a la mente la broma de Jack sobre lo de tener que comprar amigos—. Nadie quiere estar cerca de los espectros. No tendré amigos y siempre estaré solo.

—No será tan grave como te imaginas —aseguró mi madre—. Tendrás a tu maestro y podrás hablar con él. Él te enseñará, y sin duda acabaréis siendo amigos. Y siempre estarás muy atareado aprendiendo cosas nuevas, de modo que no te dará tiempo a sentirte solo. ¿No te parece que todo esto es una novedad emocionante?

—Es emocionante, pero el empleo me asusta. Quiero hacerlo, aunque no sé si seré capaz. Una parte de mí quiere viajar y ver mundo, pero va a ser duro no vivir más aquí. Os voy a echar de menos y también voy a echar de menos estar en casa.

—No puedes quedarte aquí —repuso mamá—. Tu padre se está haciendo demasiado viejo para trabajar, y en cuanto llegue el próximo invierno dejará la granja en manos de Jack. Además, muy pronto Ellie tendrá al bebé, que será el primero de muchos bebés, y a la larga no quedará sitio para ti. Será mejor que te acostumbres antes de que eso ocurra. No puedes volver a casa.

Su tono de voz parecía frío y un poco brusco, y al oírle hablarme así, me causó un profundo dolor en el pecho y en la garganta; a duras penas podía respirar.

Me entraron ganas de irme a la cama, pero mamá tenía mucho más que decirme. Casi nunca la había oído pronunciar tantas palabras de una sola vez.

—Tienes un trabajo que cumplir y vas a hacerlo —dijo con severidad—. Y no sólo lo realizarás, sino que lo harás bien. Me casé con tu padre porque era un séptimo hijo y le di seis hijos para poder tenerte después a ti. Eres siete veces siete y posees el don. Tu nuevo maestro es fuerte todavía, pero ya no está en su mejor momento, y sus días se acaban. Lleva casi sesenta años recorriendo el condado y cumpliendo con su deber: hace lo que tiene que hacer. Pero pronto te llegará a ti el turno. Y si tú no lo haces, ¿quién lo hará? ¿Quién cuidará de las gentes sencillas? ¿Quién las protegerá? ¿Quién mantendrá la seguridad de las granjas, de los pueblos y de las ciudades para que las mujeres y los niños puedan pasear por la calle y por los caminos sin nada que temer?

No supe qué decir ni fui capaz de mirarla a los ojos. Lo único que podía hacer era tratar de contener las lágrimas.

—Amo a todos los que vivís en esta casa —dijo dulcificando un poco la voz—, pero en todo el condado tú eres la única persona que, realmente, se parece a mí. Aun así, sólo eres un niño al que le queda mucho que aprender, pero eres el séptimo hijo de un séptimo hijo. Posees el don y la fuerza para hacer lo que hay que hacer. Sé que conseguirás que me sienta orgullosa de ti.

»Bueno, hijo —añadió poniéndose en pie—, me alegro de haber aclarado las cosas. Ahora a la cama. Mañana será un gran día, y seguro que quieres despertarte fresco.

Me abrazó y me dedicó una cálida sonrisa, y yo intenté con todas mis fuerzas mostrarme alegre y devolverle la sonrisa, pero en cuanto llegué a mi dormitorio me senté en el borde de la cama y me quedé con la mirada perdida pensando en lo que mamá me había dicho.

Mi madre tiene buena reputación en el vecindario. Sabe más de plantas y de remedios que el médico del lugar, y cuando surgen complicaciones en un parto, la comadrona siempre pide que la vayan a buscar. Es una experta en lo que ella llama parto de nalgas. A veces el bebé quiere sacar primero los pies, pero mi madre sabe darle la vuelta cuando aún está en la matriz. Gracias a esa habilidad, muchas mujeres del condado le deben la vida.

Bueno, al menos era lo que decía siempre mi padre, aunque mamá era modesta y nunca mencionaba tales cosas. Sencillamente, ella hacía lo que había que hacer, y yo sabía que eso era lo que esperaba de mí. Quería que se sintiera orgullosa de su hijo.

Pero ¿de verdad me había querido decir que sólo se había casado con mi padre y había dado a luz a mis seis hermanos para poder tenerme a mí? Me parecía imposible.

Después de reflexionar sobre estas cosas, me acerqué a la ventana, que daba al norte, y me senté un ratito en la vieja silla de anea para mirar al exterior.

Brillaba la luna y lo bañaba todo con su luz de plata. Se veía de un lado a otro de los corrales y más allá de los dos henares y de los pastos del norte hasta los mismísimos límites de la granja, que terminaban a medio camino del Monte del Ahorcado. Me gustaban esas vistas, así como contemplar el Monte del Ahorcado desde lejos. Me gustaba verlo allí, como el hito más lejano que podía divisarse.

Durante años ésa había sido mi costumbre antes de meterme en la cama cada noche: me quedaba mirando la colina y me imaginaba lo que había al otro lado. Sabía que en realidad sólo había más campos de cultivo y que más lejos, a unos tres kilómetros, estaba lo que podría denominarse el pueblo (media docena de casas, una pequeña iglesia y una escuela aún más pequeña), pero en mi imaginación veía otras cosas: altos acantilados y un océano, o un bosque o una gran ciudad con altas torres y luces parpadeantes.

Pero ahora, mientras contemplaba la colina, me acordé también de mi miedo. Sí, vista en la distancia era bonita, pero no era un lugar al que me gustara acercarme. Como habréis podido adivinar, el Monte del Ahorcado no se llamaba así por casualidad.

Tres generaciones atrás se había extendido por todo el país una guerra, y los hombres del condado habían tomado parte en ella. Se había tratado de la peor clase de lucha: una cruenta guerra civil en la que familias enteras habían quedado divididas; incluso, en algunos casos, los hermanos habían luchado entre sí.

Durante el último invierno de la guerra se había librado una trascendental batalla a un par de kilómetros al norte, precisamente en las lindes del pueblo. Cuando al fin terminó, el ejército vencedor llevó a sus prisioneros a esa colina y los ahorcó en los árboles de la ladera norte. También ahorcaron a algunos de sus propios hombres, acusados de cobardía frente al enemigo. Sin embargo, circuló otra versión de aquellos sucesos: se rumoreó que algunos de esos hombres se habían negado a luchar contra quienes eran sus vecinos.

Ni siquiera a Jack le gustaba trabajar cerca de la valla de ese lado, y hasta los perros preferían no adentrarse en el bosque más que unos cuantos metros. Por lo que a mí respecta, como percibo cosas que otros no notan, no era capaz de trabajar en los pastos del norte porque desde allí oía el crujido de las sogas y el gemido de las ramas que tenían que aguantar el peso de los ahorcados. Y oía cómo los muertos del otro lado del monte se ahogaban y se asfixiaban.

Mi madre había dicho que ella y yo nos parecíamos. Bueno, en un aspecto concreto sí era como yo: sabía que ella también podía ver cosas que otros no veían. Un invierno, cuando era muy pequeño y vivían en casa todos mis hermanos, los ruidos de la colina se oían tanto por la noche que incluso desde mi alcoba podía escucharlos. Mis hermanos no se enteraban de nada, pero yo sí y no lograba dormir. Mamá venía a mi cuarto cada vez que la llamaba, a pesar de que tenía que estar en pie al amanecer para empezar sus quehaceres.

Finalmente, dijo que iba a tener que arreglar la situación, por lo que una noche subió ella sola al Monte del Ahorcado y se metió entre los árboles. Cuando regresó, todo estaba en silencio y así permaneció hasta pasados muchos meses.

Había algo en lo que no éramos iguales: mi madre era mucho más valiente que yo.

Capítulo 2
En camino

Me levanté una hora antes de que amaneciera, y mamá estaba ya en la cocina preparando mi desayuno favorito: beicon con huevos.

Mi padre bajó cuando yo rebañaba el plato con mi última rebanada de pan. En el momento de la despedida, sacó algo del bolsillo y me lo puso en las manos: era la cajita de yesca que había pertenecido a su abuelo y después a su padre. Se trataba de una de sus posesiones más preciadas.

—Quiero que la tengas tú, hijo mío —dijo—, pues podría serte útil en tu nuevo oficio. Vuelve pronto a vernos. El hecho de que te marches de casa no quiere decir que no puedas venir a visitarnos.

—Es hora de partir, hijo —afirmó mi madre, que se acercó a mí y me dio un último abrazo—. Está en la cancela. No le hagas esperar.

En nuestra familia no nos gusta montar escenitas, y como ya nos habíamos dicho adiós, salí solo al patio delantero.

El Espectro aguardaba al otro lado de la cancela, como una silueta negra sobre el fondo grisáceo del amanecer. Llevaba puesta la capucha y estaba muy erguido; tenía la mano izquierda apoyada en el cayado. Caminé hacia él, pertrechado con mi pequeño fardo de enseres, hecho un manojo de nervios.

Me causó sorpresa, pero el Espectro abrió la cancela y entró en el patio.

—Bueno, muchacho —dijo—, ¡sígueme! Podríamos iniciar ahora mismo el camino que vamos a recorrer.

En lugar de enfilar el sendero, encabezó la marcha hacia el norte, directamente al Monte del Ahorcado, y enseguida atravesamos el prado septentrional. Mi corazón se había acelerado. Al llegar a la tapia, el Espectro trepó por ella con la facilidad de un hombre que fuera la mitad de joven que él, pero yo me quedé petrificado y, cuando apoyé las manos en la parte de arriba de la tapia, oí el crujido de los árboles, cuyas ramas se arqueaban vencidas por el peso de los ahorcados.

—¿Qué ocurre, muchacho? —preguntó el Espectro mientras se daba la vuelta para mirarme—. Si te asustas por algo que está a las mismas puertas de tu hogar, me serás de muy poca ayuda.

Respiré hondo y bajé por la tapia con torpeza. Luego empezamos a subir la pendiente, mientras la luz del amanecer se oscurecía a medida que nos metíamos por entre las sombras de los árboles. Cuanto más subíamos, parecía que hacía más frío, y al poco rato estaba tiritando. Era esa clase de frío que te pone la carne de gallina y te eriza el vello de la nuca, como un aviso de que las cosas no marchan exactamente bien. Ya había tenido antes esa sensación cuando notaba que se me acercaba algo que no era de este mundo.

En cuanto alcanzamos la cima de la colina, los vi a mis pies. Por lo menos debía de haber un centenar, y de vez en cuando dos o tres de ellos colgaban de un mismo árbol. Llevaban uniforme de soldado, con anchos cintos de cuero y grandes botas, y tenían las manos atadas a la espalda. Cada uno se comportaba de manera diferente: algunos trataban de liberarse a la desesperada haciendo rebotar la rama de la que estaban colgados; otros sólo giraban lentamente del extremo de la soga, primero hacia un lado y luego hacia el otro.

Mientras los observaba, noté de súbito un fuerte viento

en la cara, un viento tan frío y atroz que era imposible que fuese natural. Los árboles se arquearon y sus hojas empezaron a temblar y a desprenderse. En cuestión de segundos, todas las ramas quedaron desnudas. Cuando el viento hubo cesado, el Espectro puso una mano en mi hombro y me llevó cerca de los ahorcados. Nos detuvimos a escasos metros del más próximo.

—Míralo —ordenó el Espectro—. ¿Qué ves?

—Veo un soldado muerto —contesté. Empezaba a flaquearme la voz.

—¿Cuántos años te parece que tiene?

—Diecisiete como mucho.

—Bien. Muy bien, muchacho. Ahora dime, ¿aún tienes miedo?

—Un poco. No me agrada estar tan cerca de él.

—¿Por qué? No hay nada que temer. No hay nada que pueda hacerte daño. Piensa en lo que debió de suponer para él. Concéntrate en él, más que en ti. ¿Qué crees que sintió? ¿Qué sería lo peor?

Intenté ponerme en la piel del soldado e imaginar cómo debió de ser morir de ese modo. El sufrimiento y el esfuerzo por respirar tuvieron que ser horribles. Pero podría haber habido algo incluso peor...

—Supongo que se daría cuenta de que se estaba muriendo y que nunca más podría volver a su casa... que jamás volvería a ver a su familia —dije al Espectro.

Al expresar lo que pensaba, sentí una oleada de tristeza. A partir de ese momento, los ahorcados empezaron lentamente a desaparecer, hasta que nos quedamos solos en la ladera del monte mientras los árboles recuperaban sus hojas.

—¿Cómo te sientes ahora? ¿Sigues asustado?

—No —repuse—. Sólo triste.

—Bien hecho, muchacho. Estás aprendiendo. Somos los

séptimos hijos de séptimos hijos y tenemos el don de ver cosas que otros no son capaces de ver. Pero a veces ese privilegio es como una maldición, y si tenemos miedo, algunas cosas pueden alimentarse de él. El miedo nos complica la situación. El truco consiste en concentrarse en lo que se ve y en dejar de pensar en uno mismo. Siempre da resultado.

»Ha sido una visión terrorífica, muchacho —prosiguió el Espectro—, pero no eran más que cadáveres. No podemos hacer nada por ellos y, llegado el momento, simplemente desaparecerán. Dentro de cien años, más o menos, no quedará ni rastro.

Sentí el impulso de contarle que una vez mi madre había hecho algo por esos cadáveres, pero me frené porque llevarle la contraria habría sido un mal comienzo para nuestra relación.

—Sin embargo, si hubiesen sido fantasmas, habría sido diferente —dijo el Espectro—. Con los fantasmas se puede hablar y poner los puntos sobre las íes. Hacerles ver que están muertos es un acto de extrema bondad y un paso importante para conseguir que se marchen. Por lo general, el fantasma es un espíritu desconcertado que está atrapado en la tierra, pero no sabe lo que ha ocurrido y muchas veces está atormentado. Pero, claro, también hay fantasmas que están aquí con un propósito concreto y es posible que tengan algo que comunicarte. En cambio, un cadáver no es más que un fragmento de un alma que se ha ido a hacer cosas más interesantes. Eso es lo que son éstos, muchacho: sólo cadáveres, nada más. ¿Has visto cómo se transformaban los árboles?

—Se quedaron sin hojas, y era invierno.

—Bueno, pues las hojas han vuelto ya. Sólo estabas contemplando una escena que pertenecía al pasado, un recordatorio de las maldades que a veces tienen lugar en este mundo. Por lo general, si eres valiente, los cadáveres no pueden ver ni sentir nada. Un cadáver sólo es un reflejo en un estanque que se queda aquí cuando su dueño se marcha. ¿Entiendes lo que te digo? —Asentí en silencio—. Bien, ya hemos arreglado algo. De vez en cuando tendremos que vérnoslas con los muertos, así que ya puedes ir acostumbrándote a ellos. En fin, pongámonos en marcha porque nos espera un largo camino. Toma. De ahora en adelante tú llevarás esto.

El Espectro me dio su enorme bolso de cuero y, sin volver la vista atrás, reemprendimos la subida. Lo seguí por la cresta de la colina y luego pendiente abajo, entre los árboles, en dirección a la carretera, que parecía una lejana cicatriz gris que serpenteaba hacia el sur atravesando el tapiz verde y marrón de los campos de cultivo.

—¿Has viajado mucho, muchacho? —me preguntó el Espectro mirándome por encima del hombro, pero sin darse la vuelta—. ¿Conoces bien el condado?

Le conté que nunca me había alejado más de diez kilómetros desde la granja de mi padre, puesto que el trayecto más largo que había hecho en mi vida había consistido en llegar hasta el mercado del pueblo.

El Espectro murmuró algo entre dientes e hizo un gesto negativo con la cabeza. Era evidente que mi respuesta no le había complacido mucho.

—Bueno, pues hoy empiezan tus viajes —afirmó—. Iremos hacia el sur, a un pueblo que se llama Horshaw. Sólo está a veinticinco kilómetros en línea recta, y tenemos que llegar antes del anochecer.

Había oído hablar de Horshaw. Era un pueblo minero que contaba con las carboneras más grandes del condado, en las que se almacenaba el producto de docenas de minas de los alrededores. Nunca se me había ocurrido ir allí y me preguntaba qué tendría que hacer el Espectro en un lugar como ése.

Él caminaba a un ritmo vertiginoso y daba enormes zancadas sin cansarse lo más mínimo, pero yo enseguida tuve que hacer denodados esfuerzos para no quedarme atrás porque, además de llevar mi pequeño petate (con ropa y otros objetos personales), tenía que acarrear con el bolso del Espectro, que parecía que cada vez pesaba más. Entonces, para empeorar aún más la situación, se puso a llover.

Una hora antes del mediodía, aproximadamente, el Espectro se detuvo de repente, se dio la vuelta y me clavó la mirada. Yo me encontraba a unos diez pasos detrás de él; me dolían los pies y ya cojeaba un poco. La carretera era poco más que un camino de tierra que se estaba convirtiendo rápidamente en barro. En cuanto llegué a su altura, di un traspié, resbalé y estuve en un tris de caer de bruces al suelo.

—¿Estás mareado, muchacho? —me preguntó después de chasquear la lengua.

Dije que no con la cabeza. Quería descansar un poco el brazo, pero no me pareció correcto apoyar su bolso en el barro.

—Eso está bien —dijo el Espectro con una leve sonrisa. El agua de lluvia le chorreaba por el filo de la capucha y le estaba empapando la barba—. No te fíes nunca de un hombre que está mareado. Más te vale recordarlo.

—Yo no estoy mareado —protesté.

—¿No? —preguntó el Espectro arqueando las pobladas cejas—. Entonces debe de ser por las botas. En este oficio no te servirán de mucho.

Mis botas eran iguales que las que usaban Jack y mi padre, lo bastante resistentes y adecuadas para andar por el barrizal y por el estiércol de los corrales, pero costaba mucho acostumbrarse a ellas. Normalmente, un par nuevo te costaba quince días de ampollas antes de que se adaptaran a la forma de tus pies.

Bajé la vista hacia las botas del Espectro: estaban hechas de cuero recio y de buena calidad y tenían la suela extragruesa. Debían de costar un dineral, pero supongo que para alguien habituado a largas caminatas merecía la pena pagar hasta el último penique de su precio. Eran muy flexibles, y pensé que seguramente le habían resultado muy cómodas desde el mismo momento en que se las había calzado por primera vez.

—En este trabajo es muy importante gastar buenas botas —aseguró el Espectro—. Para llegar a donde tenemos que ir no dependemos ni de hombre ni de animal de tiro que valga. Si confías en tu buen par de piernas, no te defraudarán. Si finalmente decido quedarme contigo, te conseguiré un par de botas como las mías, pero hasta entonces tendrás que apañártelas lo mejor que puedas.

A mediodía paramos a descansar un poco y nos refugiamos de la lluvia en un establo abandonado. El Espectro sacó del bolsillo un pedazo grande de queso amarillo que llevaba envuelto en tela.

Partió una punta y me la dio. Cosas peores había visto y, además, estaba hambriento, por lo que me lo zampé. El Espectro sólo comió un trocito, antes de envolver otra vez el queso restante y guardárselo de nuevo en el bolsillo.

Una vez guarecidos de la lluvia, se quitó la capucha, y tuve ocasión de verle bien por primera vez. Aparte de la larga barba y de los ojos de ahorcado, su rasgo más llamativo era la nariz, siniestra, afilada y algo curvada, que recordaba el pico de un ave. Cuando juntaba los labios, quedaban casi escondidos entre el bigote y la barba. Ésta me había parecido gris a primera vista, pero cuando la miré más de cerca, tratando de hacerlo lo más disimuladamente posible para que no se diera cuenta, me fijé en que parecía contener casi todos los colores del arco iris. Tenía mechas rojas, negras, castañas y, obviamente, muchas grises, pero, como entendí tiempo después, todo dependía de la luz.

«Mandíbula débil, carácter débil», decía siempre mi padre, quien creía también que algunos hombres se dejaban barba para ocultar, precisamente, ese hecho. Sin embargo, si te fijabas en el Espectro, entreveías que, a pesar de la barba, tenía una mandíbula alargada, y cuando abría la boca, se le veían unos dientes amarillos muy afilados y más apropiados para mascar carne roja que para comer trocitos de queso.

De repente, sintiendo un escalofrío, tuve la sensación de que me recordaba a un lobo, aunque no era sólo por su manera de mirarme. El Espectro era una especie de depredador porque iba a la caza de las tinieblas. Y si sólo picaba algo de queso de vez en cuando, estaría siempre hambriento y flaco. Si yo llegaba a terminar mi período de aprendizaje, acabaría como él.

—¿Te has quedado con hambre, muchacho? —preguntó clavando sus ojos verdes en los míos hasta que empecé a marearme un poco.

Estaba calado hasta los huesos y me dolían los pies, pero sobre todo estaba hambriento. Asentí creyendo que me ofrecería un poco más de comida, pero se limitó a negar con la cabeza y a murmurar para sus adentros. Entonces, una vez más, me miró fijamente.

—El hambre sólo es algo a lo que tienes que acostumbrarte —aseguró—. Cuando estamos trabajando, no comemos gran cosa, y si el encargo es muy difícil, no comemos absolutamente nada hasta que lo hayamos realizado. Ayunar es lo más seguro, pues nos ayuda a ser menos vulnerables a las tinieblas y nos hace más fuertes. Por lo tanto, ya puedes empezar a practicar; cuando lleguemos a Horshaw te someteré a una pequeña prueba: pasarás una noche en una casa embrujada. Y estarás tú solo. ¡Eso me permitirá comprobar de qué madera estás hecho!

Capítulo 3
Watery Lane, 13

Cuando llegamos a las inmediaciones de Horshaw, las campanas de una iglesia empezaron a repicar a lo lejos. Eran las siete en punto, estaba anocheciendo y lloviznaba con cierta intensidad. La lluvia nos caía directamente en la cara, pero todavía había suficiente luz para darme cuenta de que no era un lugar en el que me gustaría vivir y que preferiría no tener que visitarlo, aunque la estancia fuera muy breve.

Horshaw destacaba sobre el fondo verde de los campos como un manchurrón; era una pequeña población, lúgubre y fea, que consistía en un par de docenas de hileras de humildes casas adosadas sin jardín, apelotonadas principalmente en la ladera sur de un húmedo y sombrío monte. Toda la zona estaba surcada de minas, y Horshaw ocupaba el centro de aquel paraje. En un punto muy elevado del pueblo se veía un gran escorial que indicaba la entrada de una mina, y detrás se hallaban las explanadas de carbón, en las que había almacenada tal cantidad de combustible que daba para calentar las ciudades más grandes del condado incluso en los inviernos más largos.

Enseguida nos encontramos caminando por las callejas adoquinadas del pueblo, pegados a los lóbregos muros para dejar pasar las carretas cargadas hasta los topes de negros bloques de carbón, húmedos y relucientes bajo la lluvia. Los enormes caballos que tiraban de ellas hacían grandes esfuerzos por mover el cargamento, pues los cascos les resbalaban sobre los relucientes adoquines.

Había poca gente en las calles, pero a nuestro paso se movían levemente los visillos de las ventanas, y en un momento dado nos encontramos con un grupo de mineros de rostro adusto que subían por la colina para iniciar el turno de noche. Les habíamos oído hablar en voz alta, aunque de pronto se quedaron en silencio y se colocaron en fila india al pasar a nuestro lado, sin apartarse del otro extremo de la calle. Uno de ellos hasta se santiguó.

—Vete acostumbrando a eso, muchacho —me dijo el Espectro entre dientes—. Somos necesarios pero rara vez bienvenidos, y en algunos sitios es peor que en otros.

Por fin doblamos una esquina y nos metimos por la callejuela más angosta y humilde del pueblo. Saltaba a la vista que allí no vivía nadie. De entrada, algunas ventanas estaban rotas y otras estaban cegadas con tablones, y aunque casi era de noche, no se veía ninguna luz encendida. Al final de la calle había un almacén de trigo, abandonado, con dos portalones de madera abiertos de par en par, precariamente sujetos por unas bisagras oxidadas.

El Espectro se detuvo delante de la última casa de la calle. Estaba en la esquina más próxima al almacén de trigo y era la única vivienda de la calleja que tenía número. Éste figuraba en una placa de metal clavada en la puerta: era el trece, el peor número de todos, el que más mala suerte da; en lo alto del muro, justo encima de la placa, se hallaba el letrero con el nombre de la calle, colgado de un remache tan oxidado y torcido que casi caía en vertical hacia el adoquinado del suelo. El letrero decía: WATERY LANE.

Esta casa sí tenía cristales en las ventanas, pero los visillos estaban amarillentos y cubiertos de telarañas. Debía de ser la casa embrujada de la que me había hablado mi maestro.

El Espectro sacó del bolsillo una llave, abrió la cerradura y me indicó el camino hacia la penumbra del interior. En un primer momento me alegré de escapar al fin de la lluvia, pero cuando encendió una vela y la colocó en el suelo cerca del centro del pequeño salón, me convencí de que estaría más a gusto en un establo de vacas abandonado. No había ni un mueble a la vista, sino tan sólo el piso de piedra y un montón de paja sucia debajo de la ventana; la habitación y el ambiente en general eran húmedos y muy fríos, y a la titilante luz de la vela veía el vaho de mi respiración.

Si no era ya bastante penoso lo que estaba contemplando, aún fue peor lo que el Espectro dijo entonces:

—Bien, muchacho, tengo cosas de qué ocuparme y debo marcharme, pero volveré pronto. ¿Sabes lo que tienes que hacer?

—No, señor —contesté observando la temblorosa llama de la vela, pues me preocupaba que se apagara de un momento a otro.

—Bueno, es lo que te he dicho antes. ¿Es que no me escuchabas? Tienes que estar atento y no pensando en las musarañas. De todos modos, no es muy difícil —me explicó mientras se rascaba la barba, como si tuviera algo que le corretease por ella—. Lo único que tienes que hacer es pasar la noche aquí tú solo. Traigo a mis nuevos aprendices a esta casa vieja la primera noche para averiguar de qué madera están hechos. ¡Ah, no te había dicho una cosa! A medianoche tienes que bajar al sótano y enfrentarte a lo que ronda por ahí abajo. Si puedes con ello, tienes muchas probabilidades de que te contrate como aprendiz de manera permanente. ¿Alguna pregunta?

Claro que tenía preguntas, pero me daba demasiado miedo escuchar las respuestas. Por eso me limité a negar con la cabeza e intenté que no me temblasen los labios.

—¿Cómo sabrás que es medianoche? —preguntó él.

Me encogí de hombros. Se me daba bastante bien adivinar la hora según la posición del sol o de las estrellas, y si alguna vez me despertaba a media noche, casi siempre sabía con exactitud qué hora era, pero aquí no estaba tan seguro. En algunos sitios parece que el tiempo transcurre más despacio, y yo tenía la impresión de que esta casa vieja era uno de esos sitios.

De pronto me acordé del reloj de la iglesia.

—Acaban de dar las siete —dije—. Estaré pendiente de oír las doce campanadas.

—Bueno, por lo menos ahora estás despierto —comentó el Espectro esbozando una sonrisa—. Cuando el reloj dé las doce, coge el cabo de la vela y úsalo para abrirte paso hacia el sótano. Hasta entonces, duerme si puedes. Y ahora escúchame bien. Hay tres cosas importantes que debes recordar: no abras la puerta de entrada a nadie, por muy fuerte que llamen, y no te entretengas al bajar al sótano.

Dio un paso en dirección a la entrada.

—¿Y la tercera cosa? —pregunté en el último momento.

—La vela, muchacho. Hagas lo que hagas, no dejes que se apague...

Se marchó cerrando la puerta tras de sí, y me quedé a solas. Recogí la vela con mucho cuidado, me acerqué a la puerta de la cocina y eché un vistazo. Estaba totalmente vacía, a excepción de un lavadero de piedra. La puerta trasera estaba cerrada, pero aun así se colaba el viento por debajo. A la derecha había otras dos puertas: una estaba abierta y por ella veía la escalera de madera que subía a las habitaciones; la otra, la que estaba más cerca de donde me encontraba, estaba cerrada.

Había algo en la puerta cerrada que me desasosegaba, pero decidí echar un vistazo rápido. Nervioso, agarré el pomo y empujé. Costaba moverla, y por un instante tuve la escalofriante sensación de que al otro lado había alguien que la estaba sujetando para que no lograra abrirla. Empujé con más ímpetu, y se abrió tan de golpe que perdí el equilibrio. Retrocedí unos pasos y a punto estuve de que se me cayera la vela.

Unos escalones de piedra, renegridos de polvo de carbón, bajaban hacia la oscuridad y giraban hacia la izquierda, de tal manera que desde allí no podía ver el sótano. De pronto, subió una ráfaga de aire frío, y la llama de la vela tembló y parpadeó. Cerré la puerta a toda prisa, regresé a la salita y encajé también la puerta de la cocina.

Dejé la vela con mucho cuidado en el rincón más alejado de la puerta y de la ventana. En cuanto me cercioré de que no se caería, busqué una zona del suelo para dormir, aunque no había mucho donde elegir. Desde luego, no iba a tumbarme en la paja húmeda, así que opté por el centro de la sala.

Las losas eran duras y frías, pero cerré los ojos. En cuanto me durmiese, alejaría de mi mente esta lúgubre casa vieja y estaba seguro de que me despertaría un poco antes de la medianoche.

Por lo general me quedo dormido fácilmente, pero esta vez fue diferente. No dejaba de tiritar de frío, y el viento empezó a golpear los cristales de la ventana. Además, por las paredes se colaban crujidos y ruiditos. «Son sólo ratones», me decía todo el tiempo. En la granja estábamos más que acostumbrados a ellos. Pero entonces, de súbito, se oyó un nuevo y desconcertante sonido en el piso de abajo, que salía de las entrañas del oscuro sótano.

Al principio el ruido era muy flojo, y tuve que aguzar el oído, pero fue aumentando poco a poco hasta que no me quedaron dudas sobre lo que escuchaba. Abajo, en el sótano, estaba pasando algo que no debería estar ocurriendo: alguien cavaba rítmicamente y sacaba montones de tierra con una afilada pala de metal. Primero se oía el chirrido del filo metálico que golpeaba una superficie de piedra, y después se producía un sonido suave, como de succión, cuando la pala se hundía en la prieta arcilla y la arrancaba de la tierra.

Esta secuencia duró varios minutos hasta que el ruido cesó tan bruscamente como había comenzado. Todo estaba en silencio, e incluso los ratones dejaron de hacer ruiditos. Era como si la casa y lo que había en ella estuviesen conteniendo el aliento. Yo, por lo menos, lo estaba haciendo.

El silencio se interrumpió con un golpe sordo que resonó por toda la casa. A continuación hubo una serie de nuevos golpes sordos, que se repitieron a un ritmo constante. Sonaban cada vez más fuerte. Y más fuerte. Y más cerca...

Alguien estaba subiendo por la escalera del sótano.

Cogí la vela y me acurruqué en el rincón más alejado. ¡Pum, pum!, sonaba el ruido de unas pesadas botas, cada vez más cerca. ¿Quién habría estado cavando allí abajo en medio de la oscuridad? ¿Quién subía ahora la escalera?

Pero tal vez la pregunta no era «quién» subía la escalera. Quizá la pregunta era «qué»...

Oí que se abría la puerta del sótano y luego el resonar de unas botas en la cocina. Me acurruqué aún más en el rincón, tratando de encogerme al máximo y esperando que en cualquier momento se abriera la puerta.

Y se abrió, muy despacio, con un fuerte chirrido. Algo entró en la salita, y yo sentí frío, auténtico frío, esa clase de frío que me indicaba que tenía cerca un ente que no era de este mundo. Era como el frío del monte del Ahorcado, aunque muchísimo peor.

Levanté la vela. Su oscilante llama arrojaba espeluznantes sombras que danzaban por las paredes y subían hasta el techo.

—¿Quién anda ahí? —pregunté—. ¿Quién anda por ahí? —La voz me temblaba todavía más que la mano con la que sostenía la vela.

No hubo respuesta. Hasta el viento del exterior se había quedado mudo.

—¿Quién anda ahí? —pregunté otra vez.

Y, de nuevo, nadie respondió, pero unas botas invisibles crujieron en las losas de piedra al avanzar hacia mí. Estaban cada vez más cerca, y ahora oía la intensa respiración de algo de grandes dimensiones que sonaba como si fuese un enorme caballo de tiro que acabase de subir un cargamento pesado por una empinada colina.

Al final las pisadas se desviaron de donde yo me encontraba y se detuvieron cerca de la ventana. Me quedé sin aliento, y pareció que el ente que se había detenido allí estuviese respirando por los dos, succionando grandes bocanadas de aire, como si nunca pudiese inspirar lo suficiente.

Cuando ya no podía soportarlo por más tiempo, aquella presencia dio un prolongado suspiro de agotamiento y tristeza a la vez; entonces las invisibles botas crujieron de nuevo por el piso de losa y se alejaron de la ventana con pesados pasos, estaban regresando a la puerta. En el momento en que empezaron a bajar por los escalones del sótano, pude al fin respirar otra vez.

Mi corazón fue calmándose, mis manos dejaron de temblar y, poco a poco, fui tranquilizándome. Tenía que recuperar el ánimo. Me había asustado mucho, pero si eso era lo peor que iba a pasar durante la noche, lo conseguiría, superaría mi primera prueba. Como iba a convertirme en el aprendiz del Espectro, tendría que acostumbrarme a sitios parecidos a esta casa embrujada. Era parte del trabajo.

Pasados unos cinco minutos aproximadamente, empecé a sentirme mejor e incluso pensé en intentar dormir, pero como dice siempre mi padre: «Para los malos no hay descanso». Bueno, no sabía qué había hecho mal, pero de repente se produjo otro sonido nuevo que me impidió descansar.

Al principio fue un sonido lejano, casi imperceptible, como si alguien llamara a la puerta. Hubo un silencio, y a continuación se oyó nuevamente: eran tres clarísimos golpes, pero esta vez sonaron un poco más cerca. Después otra pausa, y luego otros tres golpes más.

No tardé mucho en entender de qué se trataba: alguien estaba llamando a cada una de las puertas de la calleja mientras se acercaba cada vez más al número trece. Cuando al final llegó a la casa embrujada, los tres golpes en la puerta de la entrada fueron tan fuertes que podrían haber despertado a los muertos. ¿Subiría por la escalera del sótano aquel ente para responder a la llamada? Me sentía atrapado entre las dos presencias: la que estaba fuera queriendo entrar, y la que estaba abajo queriendo liberarse.

Pero entonces, de pronto, todo se aclaró. Al otro lado de la puerta se oyó una voz que me llamaba, una voz que reconocí al instante.

—¡Tom! ¡Tom! ¡Abre la puerta! ¡Déjame entrar!

Era mi madre. Me alegré tanto de oírla que fui corriendo a la entrada sin pensármelo dos veces. Debía de estar empapándose porque fuera estaba lloviendo.

—¡Deprisa, Tom, deprisa! —decía mi madre—. No me hagas esperar.

Estaba ya levantando el candado para abrir cuando recordé la advertencia del Espectro: «No abras la puerta de entrada a nadie, por muy fuerte que llamen...».

Pero ¿cómo podía dejar a mi madre allí fuera, en plena noche?

—¡Vamos, Tom! ¡Déjame entrar! —suplicó la voz otra vez.

Recordando las palabras del Espectro, respiré hondo y traté de reflexionar. El sentido común me decía que no podía ser ella. ¿Por qué me habría seguido desde tan lejos? ¿Cómo habría sabido adónde nos dirigíamos? Además, mamá no habría hecho ese viaje ella sola, sino que mi padre o Jack la habrían acompañado.

No, lo que esperaba fuera era otra cosa: algo sin manos

que, aun así, podía llamar a la puerta; algo sin pies que, no obstante, esperaba en la acera.

Los golpes en la puerta empezaron a sonar cada vez con más fuerza.

—Déjame entrar, Tom, por favor —suplicaba aquella voz—. ¿Cómo puedes ser tan duro y tan cruel? Tengo frío, estoy empapada y agotada.

Al final se puso a llorar, y entonces tuve la certeza de que no podía ser mi madre. Mamá era fuerte. Mamá jamás lloraba, por muy mal que marchasen las cosas.

Al cabo de unos segundos, los sonidos se desvanecieron y cesaron por completo. Me tumbé en el suelo y nuevamente intenté conciliar el sueño. No dejaba de dar vueltas, primero a un lado y luego al otro, pero por mucho que lo intentase, no lograba dormirme. El viento empezó a golpear los cristales de la ventana, a cada instante con mayor ímpetu, y a las horas en punto y a las medias horas sonaban las campanadas del reloj de la iglesia que se acercaban a la medianoche.

Cuanto más se aproximaba el momento de bajar por la escalera del sótano, más nervioso me ponía. Quería superar la prueba del Espectro, pero ¡cómo deseaba hallarme en casa, metido en mi preciosa, segura y cálida cama!

Y entonces, exactamente cuando el reloj hubo dado una única campanada (la de las once y media), empezó a oírse otra vez el sonido de alguien que cavaba...

Una vez más escuché el lento retumbar de unas botas pesadas que subían por la escalera del sótano; una vez más se abrió la puerta, y entraron en la sala las botas invisibles. En esos momentos lo único que se movía en mí era el corazón, que me latía con tal fuerza que parecía a punto de romperme las costillas. Pero esta vez las botas no se desviaron hacia la ventana, sino que siguieron avanzando hacia mí. ¡Pum! ¡Pum! ¡Pum! Venían directamente a mi encuentro.

Noté que alguien me levantaba del suelo con brusquedad, agarrándome del pelo y de la nuca, igual que las gatas trasladan a sus crías. Entonces un brazo invisible me sujetó el torso y me aprisionó los brazos a cada lado. Intenté respirar, pero me fue imposible porque me estaba aplastando el pecho.

Me trasladó en volandas hacia la puerta del sótano. Yo no veía qué era lo que me estaba transportando, pero oía el silbido de su respiración. Aterrado, luché por liberarme, pues me di cuenta exactamente de lo que iba a ocurrir; de alguna manera entendí por qué se había producido aquel sonido de paladas en el piso inferior: me bajarían al sótano por la escalera, en medio de la oscuridad, y allí me esperaría una tumba. ¡Me iban a enterrar vivo!

Estaba aterrorizado y traté de gritar. No era sólo que me estuviesen sujetando fuerte, sino mucho peor, porque me hallaba paralizado y no podía mover ni un músculo.

De repente empecé a caer...

Acabé a cuatro patas de cara hacia la puerta abierta del sótano, a escasos milímetros del primer escalón. Horrorizado, con el corazón palpitándome tan deprisa que era imposible contar los latidos, me puse de pie y, tambaleándome, cerré de un portazo la puerta. Temblando todavía, volví a la salita y allí caí en la cuenta de que había incumplido una de las tres reglas del Espectro: la vela se había apagado.

Al acercarme a la ventana, un resplandor repentino iluminó la estancia, seguido de un fuerte trueno que descargó prácticamente encima. La lluvia caía con furia contra la casa y provocaba que las ventanas se estremecieran y la puerta crujiera y gimiera, como si hubiera alguien que intentara entrar.

Me quedé un rato mirando por la ventana mientras contemplaba acongojado el resplandor de los relámpagos. Hacía una noche de perros, pero aunque los relámpagos me daban miedo, habría dado cualquier cosa por estar fuera, andando por las calles; cualquier cosa antes que tener que bajar al sótano.

A lo lejos empezaron a sonar las campanadas del reloj de la iglesia. Las conté, y eran exactamente doce. Era el momento de hacer frente a lo que había en el sótano.

Fue entonces, al iluminarse de nuevo la sala gracias a un relámpago, cuando vi que en el suelo había unas huellas enormes. Al principio pensé que pertenecían al Espectro, pero eran negras, como si las inmensas botas que las habían dejado hubiesen estado embadurnadas de polvo de carbón. Procedían de la puerta de la cocina, llegaban casi a la ventana y luego giraban y volvían por el mismo camino por el que habían venido. ¡Regresaban al sótano y descendían a la oscuridad a la que yo debía bajar en ese momento!

Haciendo esfuerzos por ponerme en marcha, empecé a palpar el suelo en busca del cabo de la vela. A continuación busqué a tientas mi pequeño fardo de ropa donde, envuelta en el centro del fardo, estaba la cajita de yesca que me había dado mi padre.

Totalmente a ciegas, volqué un poco de yesca en el suelo y utilicé el pedernal y el eslabón para que saltaran chispas, con las que calenté el montoncito de materia reseca hasta lograr que saliera una llama durante el tiempo justo para prender la vela. Papá no se habría imaginado que su regalo me resultaría de tanta utilidad al cabo de tan poco tiempo.

Cuando abrí la puerta del sótano, se produjo otro relámpago, seguido del súbito estruendo de un trueno que hizo temblar toda la casa y que resonó por la escalera que descendía delante de mí. Bajé hacia el sótano. La mano me temblaba, y el cabo de la vela bailaba de tal modo que dibujaba extrañas sombras trémulas sobre la pared.

No quería bajar, pero si no superaba la prueba del Espectro, seguramente me encontraría de camino a casa en cuanto se hiciera de día. Me imaginé la vergüenza que pasaría al tener que contarle a mi madre lo que había ocurrido.

Ocho escalones más y llegué al recodo, de modo que el sótano apareció ante mi vista: no era grande, y había unas sombras negras en los rincones a las que la luz de la vela no iluminaban del todo, mientras que del techo colgaban telarañas en forma de frágiles y mugrientas cortinas. Por el piso de tierra había esparcidos pequeños fragmentos de carbón y grandes cajones de embalar, hechos de madera, y una mesa vieja, también de madera, junto a un enorme tonel de cerveza. Lo bordeé y me fijé en que había algo en el rincón más alejado, exactamente detrás de unos cajones. Me asusté tanto que estuvo a punto de caérseme la vela.

Era un bulto negro, casi un montón de harapos, que emitía un sonido. Era un ruido apenas perceptible, rítmico, como una respiración.

Di un paso en dirección a los harapos, luego otro más, recurriendo a toda mi fuerza de voluntad para obligar a mis piernas a moverse. Fue entonces, al acercarme tanto que podría haberlo tocado, cuando de pronto el bulto empezó a crecer y, de ser una sombra en el suelo, se irguió ante mí hasta alcanzar un tamaño tres o cuatro veces mayor.

Casi eché a correr. La figura era alta y oscura, iba encapuchada y tenía unos aterradores ojos verdes y brillantes.

Entonces me fijé en el cayado que asía con la mano izquierda.

—¿Qué te ha entretenido? —preguntó el Espectro—. ¡Llegas con casi cinco minutos de retraso!

Capítulo 4
La carta

—De pequeño viví en esta casa —me explicó el Espectro—, y veía cosas que te habrían erizado hasta los dedos de los pies. Era el único que podía verlas, y mi padre me pegaba por contar mentiras. Había algo en el sótano que tenía la costumbre de subir al piso de arriba. A ti te habrá pasado lo mismo. ¿Estoy en lo cierto? —Asentí en silencio—. Bueno, no hay nada de qué preocuparse, muchacho. No es más que otro cadáver, un fragmento de un alma atormentada que se marchó para ocuparse de mejores asuntos. Si no hubiera dejado atrás la parte mala de sí mismo, habría estado atrapado aquí por siempre jamás.

—¿Y qué hizo ese... cadáver? —pregunté. El techo me devolvió el tenue eco de mi voz.

—Era un minero cuyos pulmones estaban tan enfermos que ya no podía trabajar —afirmó el Espectro moviendo la cabeza con tristeza—. Se pasaba todo el día y toda la noche tosiendo y haciendo esfuerzos por respirar, y su pobre esposa los mantenía a los dos. Ella trabajaba en una tahona, pero por desgracia para ambos, era una mujer muy hermosa. No hay muchas mujeres de las que puedas fiarte, y las bonitas son las peores de todas.

»Para empeorar la situación, era un hombre celoso, y la enfermedad le agrió el carácter. Una noche ella tardaba mucho en regresar del trabajo. Él se acercaba una y otra vez a la ventana, yendo y viniendo sin parar, y se enfadaba cada vez más porque creía que su mujer estaba con otro hombre.

»Cuando al final apareció, él estaba tan furioso que le abrió la cabeza de un golpe con un gran bloque de carbón. La dejó moribunda, tirada en el suelo de losas, mientras bajaba al sótano a cavar una tumba. La mujer seguía viva cuando él volvió, pero no podía moverse ni gritar. Ése es el terror que nosotros notamos, porque es el que ella sintió cuando la levantó y la llevó a la oscuridad del sótano. Lo había oído cavar y sabía lo que su marido iba a hacer.

»Esa misma noche él se mató. Es una historia triste, pero aunque ahora descansan en paz, el cadáver del hombre sigue aquí, así como los últimos recuerdos de la mujer, y ambos son tan fuertes que pueden atormentar a personas como tú y como yo. Nosotros vemos cosas que el resto de la gente no ve, lo cual es a la vez un don y una maldición. Sin embargo, es algo muy útil para nuestro oficio.

Me estremecí. Sentí lástima por la pobre mujer que había sido asesinada y por el minero que la había matado. Pero también sentí lástima por el Espectro. ¡Imaginad que tuvierais que pasar la infancia en una casa como ésta!

Bajé la vista hacia la vela, que yo mismo había colocado en el centro de la mesa. Estaba casi consumida, y la llama acometía su última danza trémula, pero el Espectro no daba señales de querer subir al piso de arriba. No me agradaban las sombras de su cara porque parecía que ésta le estaba cambiando poco a poco, como si le estuviera creciendo un hocico o algo parecido.

—¿Sabes cómo superé el miedo? —preguntó.

—No, señor.

—Una noche estaba tan aterrado que grité sin poder contenerme. Desperté a todo el mundo, y mi padre, enfurecido, me levantó por el pescuezo y me trajo al sótano. Entonces cogió un martillo, me dejó solo y, tras cerrar la puerta, la atrancó con unos clavos.

»Yo todavía era un niño, pues como mucho tendría siete años. Subí la escalera y aporreé la puerta. Pero mi padre era un hombre muy duro y me dejó a solas en la oscuridad, así que tuve que quedarme aquí durante horas, hasta mucho después del amanecer. Al cabo de un rato me tranquilicé y ¿sabes lo que hice?

Moví negativamente la cabeza tratando de no mirarle a la cara. Los ojos le brillaban con intensidad, y en ese momento parecía más que nunca un lobo.

—Bajé de nuevo los escalones y me senté aquí, en el sótano, a oscuras. Entonces respiré hondo tres veces y me enfrenté al miedo que sentía. Me enfrenté a la propia oscuridad, que es lo que más aterra, sobre todo a las personas como nosotros, ya que de ella nos llegan esas visiones que vienen a buscarnos con susurros y adoptan formas que sólo ven nuestros ojos. Pero lo hice, y cuando salí de este sótano, lo peor había pasado ya.

En ese preciso instante la vela parpadeó y se apagó, y nos sumió en la más absoluta tiniebla.

—Ha llegado el momento, muchacho —dijo el Espectro—. Ahora sólo estamos tú, yo y la oscuridad. ¿Puedes resistirla? ¿Tienes madera para convertirte en mi aprendiz?

La voz sonaba diferente, como si fuese un poco más grave, extraña. Me lo imaginé a cuatro patas, con pelo de lobo tapándole la cara y con unos dientes cada vez más grandes. Yo estaba temblando y no pude articular palabra hasta que respiré hondo tres veces. Entonces le respondí y pronuncié una frase que mi padre siempre decía cuando tenía que hacer algo desagradable o difícil.

—Alguien tiene que hacerlo —fueron mis palabras—. Bien podría ser yo.

El Espectro debió de pensar que era gracioso, pues su carcajada retumbó en el sótano y resonó también escaleras arriba mientras iba al encuentro del siguiente trueno, que a su vez bajaba desde lo alto.

—Hace casi trece años —dijo el Espectro— recibí una carta lacrada. Era concisa y breve y estaba escrita en griego. Me la enviaba tu madre. ¿Sabes lo que decía?

—No —respondí en voz baja mientras me preguntaba qué diría a continuación.

—«Acabo de dar a luz a un niño —escribió tu madre—, y es el séptimo hijo de un séptimo hijo. Se llamará Thomas J. Ward y es mi ofrenda al condado. Cuando haya crecido lo suficiente, te lo comunicaremos. Instrúyelo bien. Será el mejor aprendiz que hayas tenido nunca, y también el último que tengas.» Nosotros no usamos magia, muchacho —prosiguió el Espectro hablando en un susurro casi inaudible en medio de la oscuridad—. Las principales herramientas de nuestro oficio son el sentido común, la valentía y la conservación de precisos archivos para que podamos aprender del pasado. Pero, sobre todo, no creemos en las profecías ni en que el futuro esté prefijado. Si se cumple lo que escribió tu madre, será porque nosotros haremos que se cumpla. ¿Me entiendes?

Su voz contenía una pizca de ira, pero yo sabía que no iba dirigida a mí, por lo que, sencillamente, asentí en silencio en medio de las tinieblas.

—En cuanto al hecho de que seas la ofrenda de tu madre al condado, has de saber que todos y cada uno de mis aprendices eran los séptimos descendientes de séptimos hijos, de forma que no empieces a pensar que eres alguien fuera de serie. Tienes mucho que estudiar y te espera una ardua labor.

»La familia puede ser un incordio —siguió diciendo el Espectro después de una pausa. Su voz sonaba ahora dulcificada, sin rastro de ira—. A mí sólo me quedan dos hermanos. Uno es cerrajero, y nos llevamos bien, pero el otro no me dirige la palabra desde hace más de cuarenta años, aunque todavía vive aquí, en Horshaw.

ϒ

Cuando nos marchamos de la casa, la tormenta había cesado y se veía la luna. Al cerrar el Espectro la puerta de la entrada, me fijé por primera vez en lo que había grabado en la madera.

γ_{x}
Gregory

El Espectro asintió mirando la inscripción.

—Uso señales como ésta para avisar a los que saben leerlas, o a veces solamente para refrescarme la memoria a mí mismo. Seguro que reconoces la letra griega gamma. Pues bien, es el signo que se refiere a un fantasma o a un cadáver. La equis que aparece abajo a la derecha es el número romano «diez», que es el grado más bajo. Cualquier cosa que sea superior al seis es sólo un cadáver. En esta casa no hay nada que pueda hacerte daño, al menos si eres valiente. Recuérdalo: la oscuridad se nutre del miedo. Sé valiente, pues, y verás cómo los cadáveres no te harán nada.

¡Ojalá lo hubiera sabido antes!

—Arriba esos ánimos, muchacho —añadió el Espectro—. ¡La cara te llega casi a las botas! Bueno, a lo mejor esto te anima. —Sacó el trozo de queso del bolsillo, partió un pedacito y me lo ofreció—. Mastícalo —dijo—, pero no te lo tragues de golpe.

Lo seguí por la calleja adoquinada. Olía a mojado, pero por lo menos ya no llovía, y por el oeste, destacando sobre el cielo, las nubes tenían el aspecto de lana de borrego y empezaban a rasgarse y a deshacerse en tiras desmadejadas.

Abandonamos el pueblo y caminamos hacia el sur. Precisamente a la salida de la aldea, donde la calle empedrada se convertía en una pista embarrada, había una pequeña iglesia. Parecía abandonada: le faltaban algunas tejas de pizarra y la puerta principal tenía la pintura desconchada. Desde que habíamos salido de la casa, apenas habíamos visto a nadie, pero ahora había un anciano de pie en el umbral de la iglesia. Tenía el pelo blanco, lacio, grasiento y despeinado.

Por la ropa negra que llevaba se adivinaba que era un sacerdote, pero al acercarnos a él lo que de verdad me llamó la atención fue la expresión de su rostro. Nos miraba con el entrecejo fruncido y tenía la cara crispada. Entonces, con un ademán cargado de dramatismo, hizo la señal de la cruz de una manera muy exagerada, poniéndose de puntillas al empezar a santiguarse, y estiró el índice de la mano derecha hacia el cielo lo más alto que pudo. No era la primera vez que veía a un cura hacer la señal de la cruz, pero nunca con un gesto tan marcado ni con esa carga de ira. Una ira que parecía dirigida a nosotros dos.

Supuse que, por alguna razón, el sacerdote estaría resentido con el Espectro o a lo mejor con el trabajo que desempeñaba. Yo sabía que este oficio ponía nerviosa a la mayoría de la gente, pero nunca jamás había visto una reacción como aquélla.

—¿Qué le pasa? —pregunté en cuanto dejamos atrás al hombre y estuvimos seguros de que no podía oírnos.

—¡Esos curas! —profirió el Espectro en un tono lleno de rabia—. ¡Lo saben todo pero no ven nada! Y ése es peor que la mayoría de ellos. Es mi otro hermano.

Me hubiera gustado conocer más detalles, pero tuve la precaución de no hacer más preguntas. Me parecía que había muchas cosas que desconocía sobre el Espectro y sobre su pasado, pero tenía la sensación de que únicamente me las contaría cuando estuviera dispuesto a hacerlo.

Me limité a seguirlo, camino del sur, cargando con su pesado bolso y pensando en lo que mi madre había escrito en la carta. Ella nunca había sido una mujer a la que le gustase presumir de nada ni hablar más de la cuenta. Sólo decía lo necesario, por lo que cuando hablaba, cada una de sus palabras estaba cargada de significado; por lo general, simplemente se ocupaba de sus quehaceres y hacía lo que debía. El Espectro me había dicho que no se podía hacer gran cosa en relación con los cadáveres, pero una vez mi madre había silenciado a los del monte del Ahorcado.

Ser el séptimo hijo de un séptimo hijo no era un detalle tan fuera de lo normal en este tipo de oficio (sólo por serlo, ya era posible empezar a trabajar como aprendiz del Espectro). Pero yo sabía que había algo más que me hacía diferente: era hijo de mi madre.

Capítulo 5
Boggarts y brujas

Nos dirigíamos a la que el Espectro denominaba su «morada de invierno».

Mientras caminábamos, las últimas nubes de la mañana terminaron de deshacerse, y entonces me di cuenta de que el sol parecía distinto. A veces el sol brilla en invierno incluso en el condado, lo cual es bueno, pues suele significar que por lo menos no está lloviendo. Sin embargo, cada año llega una época en la que, de pronto, notas por primera vez el calor que proporciona el sol; es como el retorno de un viejo amigo.

El Espectro debía de estar pensando casi lo mismo que yo, porque de repente se detuvo, me miró de reojo y me dedicó una de sus escasas sonrisas.

—Hoy es el primer día de la primavera, muchacho —me dijo—. Iremos a Chipenden.

Me pareció un comentario extraño. ¿Es que siempre iba a Chipenden el primer día de primavera? Y de ser así, ¿por qué lo haría? Por lo tanto se lo pregunté.

—Es el territorio de verano. Pasamos el invierno en las inmediaciones del páramo de Anglezarke, y el verano en Chipenden.

—Nunca he oído hablar de Anglezarke. ¿Dónde está?

—En el extremo meridional del condado, muchacho. Es donde nací, y vivimos allí hasta que mi padre nos trasladó a Horshaw.

De todos modos, al menos me sonaba el nombre de Chipenden, cosa que me hizo sentir mejor. De pronto caí en la cuenta de que, como aprendiz del Espectro, tendría que viajar mucho y debería aprender a orientarme.

Sin más demora, cambiamos de dirección y enfilamos hacia las montañas que se divisaban a lo lejos, al nordeste. Ya no hice más preguntas. Esa noche, albergados de nuevo en un frío granero y con unos cuantos trocitos de queso amarillo por toda cena, a mi estómago le dio por pensar que me habían cortado el cuello. Nunca había estado tan hambriento.

Me habría gustado saber dónde nos quedaríamos cuando llegásemos a Chipenden y si allí tomaríamos comida de verdad. No conocía a nadie que hubiese estado en ese lugar, pero se suponía que era un pueblo remoto y hostil, perdido en lo alto de las colinas rocosas, que eran las lejanas montañas de color gris y morado que se divisaban desde la granja de mi padre. Éstas siempre me habían parecido una especie de gigantescos animales dormidos, pero seguro que era a causa de las historias de ese tipo que uno de mis tíos tenía la costumbre de contarme. Decía que por la noche empezaban a moverse, y que a veces, al amanecer, pueblos enteros desaparecían de la faz de la Tierra, hechos polvo bajo el peso de las montañas.

A la mañana siguiente, unos oscuros nubarrones tapaban el sol otra vez, y daba la impresión de que tendríamos que esperar cierto tiempo antes de poder disfrutar del segundo día de la primavera. También empezaba a soplar el viento, que tiraba de nuestra ropa mientras iniciábamos el ascenso y obligaba a los pájaros a alzar el vuelo hacia el cielo. Las nubes pasaban a toda velocidad, una tras otra, desplazándose en dirección al este hasta ocultar las cimas de las montañas.

Andábamos a paso lento, cosa que agradecí, porque me había salido una ampolla en cada talón. Por ese motivo, cuando llegamos a las cercanías de Chipenden ya era muy tarde y empezaba a oscurecer.

Para entonces, aunque seguía soplando el viento, el cielo se había despejado y las montañas de color morado se recortaban nítidamente sobre el horizonte. El Espectro apenas había dicho nada durante el viaje, pero ahora enumeró casi con entusiasmo el nombre de cada una de las montañas. Algunas tenían nombres como Pica de Parlick, que era la que estaba más cerca de Chipenden; otras (algunas visibles, otras ocultas y lejanas) se llamaban Loma de Mellor, Escarpa de la Montura o Escarpa del Lobo.

Cuando pregunté a mi maestro si había lobos en la Escarpa del Lobo, los labios del Espectro dibujaron una siniestra sonrisa.

—Las cosas cambian deprisa por aquí, muchacho —contestó—, y debemos estar siempre en guardia.

En cuanto se vieron los primeros tejados del pueblo, el Espectro señaló una estrecha vereda que se apartaba del camino y subía en curva junto a un gorgoteante arroyuelo.

—Por ahí se llega a mi casa —indicó—. Es un camino ligeramente más largo, pero gracias a él evitaremos atravesar el pueblo. Me gusta mantener las distancias con la gente que vive aquí, y ellos también lo prefieren.

Me acordé de lo que había dicho Jack sobre el Espectro y me entristecí. Había acertado. Los espectros llevaban una vida solitaria. Y al final terminas trabajando solo.

A ambas orillas del arroyo había unos pocos árboles raquíticos que se agarraban al terraplén para que no se los llevara el viento, pero entonces, de súbito, delante de nosotros apareció un bosque de plátanos y fresnos. Al adentrarnos en él, el viento se desvaneció hasta convertirse en un lejano susurro. El bosque no era más que una nutrida agrupación de árboles, quizá doscientos o trescientos más o menos, que ofrecía refugio frente al azote del viento; pero al cabo de unos minutos me di cuenta de que no era un bosque corriente.

Alguna que otra vez me había fijado en que determinados árboles hacen ruido —sus ramas siempre crujen o sus hojas siempre hacen frufrú—, mientras que otros apenas emiten el más leve sonido. Por encima de las copas de los árboles del lugar donde nos hallábamos, se oía el bufido lejano del viento, pero desde dentro del bosque lo único que se percibían eran las pisadas de nuestras botas. Reinaba un silencio absoluto. El bosque estaba repleto de árboles tan silenciosos que sentí un escalofrío que me subió por la espalda y luego volvió a bajarme. Estuve a punto de creer que los árboles nos estaban escuchando.

Al cabo de un rato llegamos a un claro, y delante de nosotros se veía una casa. Estaba rodeada por un elevado seto de espino, de manera que sólo eran visibles el piso superior y el tejado. De la chimenea salía una columna de humo blanco que subía recta hacia el cielo, sin que nada la desviase, hasta que al llegar encima de las copas de los árboles el viento la empujaba hacia el este.

Observé que la casa y el jardín se encontraban en un hueco de la ladera. Era como si un servicial gigante hubiese acudido a ese lugar para vaciar la tierra con la mano a modo de cuchara.

Seguí al Espectro, bordeando el seto, hasta que llegamos a una cancela de metal. Era una portezuela baja, que me llegaba por la cintura, y la habían pintado de verde brillante, tarea que había sido realizada hacía tan poco tiempo que me pregunté si la pintura se habría secado del todo y si el Espectro se mancharía la mano, que en ese momento estaba alargando ya en dirección al pasador.

De repente ocurrió una cosa que me hizo contener la respiración: antes de que el Espectro tocase el pasador de la cancela, éste se levantó solo, y la puertecilla se abrió lentamente como si la empujase una mano invisible.

—Gracias —oí que decía el Espectro.

La puerta principal de la casa no se abrió sola porque se tuvo que descorrer el cerrojo con la gran llave que el Espectro sacó del bolsillo. Se parecía a la que había utilizado para abrir la puerta de Watery Lane.

—¿Es la misma llave que usó usted en Horshaw? —pregunté.

—Pues sí, muchacho —respondió echándome un vistazo mientras empujaba la puerta—. Me la dio mi hermano, el cerrajero. Abre casi todos los cerrojos, siempre que no sean demasiado complicados, y resulta bastante útil en esta clase de oficio.

La puerta cedió con un fuerte crujido, seguido de un grave chirrido, y fui tras el Espectro hacia el interior de un vestíbulo pequeño y en penumbra. A la derecha había una empinada escalera y a la izquierda un estrecho pasillo con suelo de losas.

—Deja los bártulos al pie de la escalera —indicó el Espectro—. Vamos, muchacho, no te entretengas. No hay tiempo que perder. ¡Me gusta que la comida esté ardiendo!

Así pues, dejé su bolso y mi petate donde me había dicho, y lo seguí por el pasillo en dirección a la cocina y al apetitoso aroma a comida caliente.

Cuando llegamos, no me pareció nada mal. Me recordó la cocina de mi madre: sobre el ancho alféizar de la ventana había grandes tiestos con plantas aromáticas, al tiempo que el sol del atardecer bañaba la estancia con las sombras de las hojas de los árboles; en el rincón más alejado había un fuego enorme que caldeaba la cocina, y exactamente en el centro del suelo enlosado se hallaba una gran mesa de roble, encima de la cual había dos platos, inmensos y vacíos, cinco fuentes de servir, repletas de comida, y una jarra llena hasta los bordes de caliente y humeante salsa.

—Siéntate y empieza, muchacho —me animó el Espectro, y no esperé a que me lo dijera dos veces.

Me serví grandes rodajas de pollo y de ternera, con lo que en mi plato casi no quedó sitio para la cucharada de patatas asadas y de verdura que me puse a continuación. Por último, lo regué todo con una salsa tan sabrosa que sólo mi madre podría haberla hecho mejor.

¿Dónde estaría la cocinera? ¿Y cómo había sabido que llegábamos en el momento preciso de servir la comida caliente en la mesa? Se me ocurrían mil preguntas, pero al mismo tiempo estaba tan cansado que ahorré mis energías para comer. Cuando al final tragué el último bocado, el Espectro tenía ya su plato reluciente.

—¿Te ha gustado? —preguntó.

Asentí, pero estaba tan lleno que casi no podía hablar. Y me había entrado sueño.

—Después de alimentarse sólo con queso, siempre es bueno llegar a casa y tomar comida caliente —dijo—. Aquí se come bien y compensa el tiempo que estamos trabajando.

Asentí de nuevo y empecé a bostezar.

—Mañana tenemos mucho que hacer, de modo que acuéstate. Tu habitación es la de la puerta verde, al final del primer tramo de la escalera —me indicó el Espectro—. Que duermas bien. Pero no salgas de tu habitación ni te pasees por la casa durante la noche. Oirás unas campanilla cuando el desayuno esté listo. Baja en cuanto la oigas... Cuando alguien te prepara una buena comida, puede enfadarse si dejas que se enfríe. Pero tampoco bajes demasiado pronto porque sería igual de inconveniente.

Hice un gesto afirmativo, le di las gracias por la cena y crucé el pasillo en dirección a la entrada. El bolso del Espectro y mi petate habían desaparecido. Mientras subía la escalera para ir a acostarme, me preguntaba quién habría cogido nuestras cosas.

Mi nueva habitación resultó ser mucho más grande que la que tenía en casa, que durante un tiempo había compartido con dos de mis hermanos. En este dormitorio había sitio para una cama, una mesita con una vela, una silla y un tocador, pero aún quedaba mucho espacio por el que moverse. Sobre el tocador estaba mi paquete de objetos personales.

Frente por frente de la puerta había una gran ventana de guillotina, dividida en ocho cuadrantes de vidrio tan grueso e irregular que no podía ver del exterior mucho más que remolinos y espirales de color. Parecía que nadie la había abierto en muchos años. Como la cama estaba pegada a la pared, debajo de la ventana, me quité las botas, me arrodillé encima de la colcha y traté de abrirla. Aunque estaba un poco dura, resultó más fácil de lo que me había parecido. Usé el cierre de la guillotina para subir la parte inferior del cristal dándole varios empujoncitos, lo suficiente para asomar la cabeza y dar un vistazo alrededor.

Debajo de la ventana contemplé un espacioso prado de césped, dividido en dos por un sendero de guijarros blancos que se perdía entre los árboles. Por encima de las copas de los árboles de la derecha asomaban las montañas; la más próxima estaba tan cerca que pensé que casi podría alargar el brazo y tocarla. Aspiré una bocanada de aire fresco y me llegó el olor de la hierba; después retiré la cabeza de la ventana y me puse a deshacer mi pequeño bulto de pertenencias, que cabían perfectamente en el primer cajón del tocador. Cuando lo estaba cerrando, me fijé en que había algo escrito en la pared del otro lado, en la penumbra frente al pie de la cama.

La pared estaba llena de nombres, garabateados en tinta negra sobre el desnudo yeso. Algunos estaban escritos con letra más grande, como si los que los habían puesto se tuvieran a sí mismos en suma consideración. Muchos se habían descolorido con el paso del tiempo, y me pregunté si eran los nombres de otros aprendices que habían dormido en esa misma habitación. ¿Debería añadir mi nombre o esperar a que pasase el primer mes, momento en el que tal vez obtendría el puesto de manera permanente? Como no tenía ni pluma ni tinta, decidí que ya pensaría en ello más adelante. Pero me quedé observando la pared con detenimiento intentando averiguar cuál podría ser el nombre más reciente.

Me decidí por el de un tal BILLY BRADLEY. Parecía el más nítido y estaba apretujado en un espacio pequeño, pues la pared estaba ya repleta. Estuve un rato pensando en lo que andaría haciendo el tal Billy en esos momentos, pero estaba agotado y me caía de sueño.

Las sábanas estaban limpias y la cama invitaba a meterse en ella, así que, sin perder más tiempo, me desvestí y en cuanto mi cabeza reposó en la almohada me quedé dormido.

Cuando abrí los ojos, entraba la luz del sol por la ventana. Había estado soñando y me había despertado de repente al oír un ruido. Pensé que, probablemente, se trataba de la campanilla del desayuno.

Entonces me entraron dudas. ¿De verdad había sido la campanilla del piso de abajo, que me llamaba para el desayuno, o la había oído en sueños? ¿Cómo me cercioraría? ¿Qué se suponía que debía hacer? Por lo visto, me buscaría problemas con la cocinera tanto si bajaba pronto como si tardaba en acudir. Así pues, convenciéndome de que lo más seguro era que había oído la campanilla, me vestí y fui derecho hacia la escalera.

Estaba bajándola cuando oí un estrépito de cazuelas y sartenes que salía de la cocina, pero nada más abrir la puerta, todo quedó en absoluto silencio.

Entonces cometí un error. Debería haber vuelto al dormitorio de inmediato, ya que era evidente que el desayuno no estaba preparado. Habían retirado los platos de la cena de la noche anterior, pero la mesa se hallaba vacía aún y en la chimenea sólo había cenizas sin rescoldo. De hecho, en la cocina hacía mucho frío, y peor aún, parecía que éste iba en aumento a cada segundo.

Mi error fue dar un paso hacia la mesa. Nada más hacerlo, oí que algo emitía un sonido, precisamente, detrás de mí. Era un sonido de enfado (de eso no había duda), un siseo de enojo, inconfundible, y sonaba muy cerca de mi oído izquierdo. Tan cerca que noté el aliento que lo producía.

El Espectro me había avisado de que no debía bajar antes de tiempo, y de repente noté que me encontraba en peligro.

Nada más tener ese pensamiento, algo me golpeó con mucha fuerza en la parte posterior de la cabeza. Me tambaleé hacia la puerta, a punto de perder el equilibrio y de caer de bruces.

No esperé a recibir un segundo aviso, sino que salí corriendo de la cocina y subí la escalera. Entonces, a medio camino, me quedé petrificado. Había alguien de pie arriba del todo de la escalera: una alta y amenazadora silueta que se recortaba sobre la luz que salía de mi habitación.

Me detuve, sin saber adónde ir, hasta que una voz conocida me tranquilizó. Se trataba del Espectro.

Era la primera vez que lo veía sin la larga capa negra. Mi maestro llevaba una túnica, también negra, y unos holgados pantalones de color gris, y observé que, aunque era un hombre alto y de espalda ancha, era delgado, debido probablemente a que algunos días lo único que comía eran unos trocitos de queso. Tenía la complexión típica de los mejores granjeros cuando se hacen mayores. Por supuesto, algunos se engordan, pero la mayoría de ellos (como los que a veces contrata mi padre para la cosecha, ahora que mis hermanos ya no viven en casa) son delgados y tienen el cuerpo fuerte y nervudo. Mi padre siempre decía: «Más delgado significa más apto»; por eso, al mirar al Espectro, comprendí por qué este hombre era capaz de caminar a un ritmo tan rápido durante tanto tiempo, sin parar a descansar.

—Te advertí de que no debías bajar antes de tiempo —dijo en tono pausado—. Sin duda, te han dado un buen escarmiento. Que te sirva de lección, muchacho. La próxima vez podría ser mucho peor.

—Es que creí que había oído la campanilla —me disculpé—. Pero debí de soñarlo.

—Ésa es una de las primeras y más importantes lecciones que un aprendiz debe asimilar —dijo riendo en voz baja—: la diferencia entre estar despierto y estar soñando. Pero hay gente que no lo aprende nunca.

Hizo un gesto con la cabeza, dio un paso hacia mí y me dio unas palmaditas en el hombro.

—Ven, te enseñaré el jardín. Por algo tendremos que empezar y así haremos tiempo hasta que esté preparado el desayuno.

Cuando el Espectro me guió al exterior de la casa, saliendo por la puerta trasera, vi que el jardín era muy grande, mucho más de lo que me había parecido desde el otro lado del seto.

Caminamos hacia el este, guiñando los ojos a causa del brillo del sol naciente, hasta que llegamos a una amplia pradera. La noche anterior había creído que el seto rodeaba todo el jardín, pero ahora me di cuenta de que estaba equivocado, pues en él había huecos y delante estaba el bosque. El sendero de guijarros blancos dividía la hierba en dos y se perdía entre los árboles.

—En realidad hay más de un jardín —dijo el Espectro—. Son tres, a decir verdad, y a cada uno de ellos se llega por un camino como éste. Primero iremos al jardín que queda al este. De día no hay peligro, pero jamás vayas por este sendero cuando caiga la noche. Bueno, a no ser que tengas una razón de peso, pero nunca vayas solo.

Me puse nervioso, pero seguí al Espectro en dirección a los árboles. La hierba estaba más crecida en el extremo del prado y se hallaba salpicada de campanillas. Me gustan las campanillas porque florecen en primavera y siempre me recuerdan que ya no falta mucho para que lleguen los largos días cálidos del verano. Sin embargo, ahora apenas las miré. El sol matutino quedaba oculto tras los árboles y, de repente, refrescó mucho. Eso me trajo a la mente mi visita a la cocina. Parecía que había algo extraño y peligroso en esa parte del bosque, y daba la sensación de que cada vez hacía más frío, a medida que íbamos avanzando entre los árboles.

En lo alto de las copas había nidos de grajo, y los penetrantes y enojados graznidos de las aves me hacían estremecer incluso más que el frío. Tenían de musicales lo mismo que los gritos de mi padre, que se ponía a cantar en cuanto terminábamos de ordeñar. Mi madre solía echarle a él la culpa si se cortaba la leche.

El Espectro se detuvo y señaló algo en el suelo, a unos cinco pasos de nosotros.

—¿Qué es? —preguntó en voz tan baja que era poco más que un susurro.

Habían suprimido la hierba, y en el centro de la calva se elevaba una lápida, colocada en vertical, aunque un poco inclinada a la izquierda. Delante de ella, había unos dos metros de tierra que estaban bordeados con piedras de menor tamaño —algo poco habitual—, pero había otro detalle aún más extraño: por encima de la calva de tierra, y sujetas a las piedras circundantes por medio de unos pernos, había trece gruesas barras de hierro.

Las conté dos veces para estar seguro del número.

—Bueno, vamos, muchacho. Te he hecho una pregunta. ¿Qué es?

Tenía la boca tan seca que casi no podía hablar, pero logré balbucear tres palabras:

—Es una tumba...

—Buen chico. A la primera. ¿Te parece que tiene algo poco frecuente? —preguntó.

En esos momentos ya no podía hablar, por lo que me limité a asentir en silencio.

Me sonrió y me dio unas palmaditas en el hombro.

—No hay nada que temer. Sólo es una bruja muerta y, además, bastante floja. La enterraron en tierra no consagrada, fuera de un cementerio, a pocos kilómetros de aquí. Pero ella no paraba de escarbar hasta salir a la superficie. Le eché una buena reprimenda, pero no quiso hacerme caso; por eso mandé que la trajeran aquí. De ese modo la gente está más tranquila y puede vivir en paz porque no les gusta pensar en cosas como ésta. Ése es nuestro cometido.

Asentí de nuevo y, de repente, me di cuenta de que no respiraba, por lo que aspiré lo más hondo que pude. El corazón me latía cada vez con menos fuerza en el pecho, amenazando con pararse en cualquier momento, y yo temblaba de pies a cabeza.

—No, ahora ya no da problemas —siguió diciendo el Espectro—. A veces, cuando hay luna llena, se oye cómo se agita, pero carece de fuerza para salir a la superficie; de todos modos, las barras de hierro se lo impedirían. Pero hay cosas peores un poco más allá, entre los árboles —dijo señalando hacia el este con un huesudo dedo—. Ese lugar está a otros veinte pasos de aquí.

¿Peor? ¿Qué podía ser peor? Yo no lo sabía, pero estaba seguro de que iba a contármelo de todos modos.

—Hay otras dos brujas. Una está muerta y la otra está

viva. La muerta está enterrada en vertical, cabeza abajo, pero aun así, una o dos veces al año tenemos que reforzar las barras que cubren su tumba. Mantente bien lejos de allí por las noches.

—¿Por qué la enterraron cabeza abajo? —pregunté.

—Buena pregunta, muchacho —respondió el Espectro—. Verás, por lo general, el espíritu de una bruja muerta está, como decimos nosotros, «atrapado en los huesos». Algunas brujas están atrapadas en el interior de sus huesos y ni siquiera saben que están muertas. Primero probamos a enterrarlas con la cabeza hacia arriba, y da resultado. Sin embargo, cada bruja es diferente, y algunas de ellas son verdaderamente tozudas. Las que tienen ese carácter, al estar atrapadas en sus huesos, hacen todo lo posible por regresar al mundo. Es como si quisieran nacer de nuevo. No nos queda más remedio que ponérselo difícil, y por eso las enterramos bocabajo, porque sacar primero los pies no es cosa fácil (a veces los bebés humanos tienen ese mismo problema). Pero, a pesar de todo, esa bruja sigue siendo peligrosa, de modo que mantente alejado.

»En cuanto a la que sigue viva, procura quedarte lejos de ella también. Sería más peligrosa muerta que viva porque a una bruja tan poderosa no le costaría absolutamente nada volver a este mundo. Por eso la tenemos metida en una fosa. Se llama Madre Malkin y habla sola. Bueno, en realidad es como si susurrara. Es de lo más malvada que te puedas imaginar, pero lleva ya mucho tiempo en su fosa y casi todos sus poderes se los ha tragado la tierra. Le encantaría echarle el guante a un muchacho como tú. Por lo tanto mantente bien lejos. Prométeme ahora mismo que no te acercarás. A ver cómo lo dices...

—Prometo que no me acercaré —susurré, bastante inquieto con todo ese asunto. Me parecía terriblemente cruel tener a una criatura viva (aunque fuese una bruja) en una fosa, y me resultaba imposible imaginar que a mi madre le gustase semejante idea.

—Buen chico. No queremos que ocurran más accidentes como el de esta mañana. Hay cosas peores que que le den a uno un cachete, mucho peores.

Le creí, pero no quería saber cuáles eran. Además, tenía otras cosas que enseñarme, por lo que no tuve que escuchar más explicaciones aterradoras. Me condujo al exterior del bosque, y avanzamos a grandes pasos en dirección a otra pradera.

—Éste es el jardín meridional —dijo el Espectro—. No vengas aquí tampoco al caer la noche.

Como el sol quedó oculto rápidamente tras el tupido ramaje y el ambiente se volvió más frío, me imaginé que nos estábamos acercando a algo malo. Mi maestro se detuvo a unos diez pasos de una piedra grande y lisa, tumbada en el suelo, cerca de las raíces de un roble. Ocupaba un espacio algo mayor que una tumba, y a juzgar por la parte que quedaba encima del suelo, la piedra debía de ser muy gruesa.

—¿Qué crees que hay enterrado ahí? —preguntó el Espectro.

Traté de dar a mi voz un tono de seguridad.

—¿Otra bruja? —aventuré.

—No —respondió el Espectro—. No necesitas una piedra de ese tamaño para una bruja. Normalmente basta con el hierro. Pero lo que hay ahí debajo podría escurrirse entre las barras de hierro en un abrir y cerrar de ojos. Fíjate bien en la piedra. ¿Ves lo que tiene grabado encima?

Asentí con la cabeza. Reconocí la letra, pero no sabía lo que significaba.

—Es la letra griega beta —explicó el Espectro—. Es el signo que usamos para indicar que hay un boggart. La raya en diagonal significa que ha sido apresado artificialmente bajo esa piedra, y el nombre que hay debajo te muestra quién lo hizo. Abajo a la derecha está el número romano «uno». Eso quiere decir que se trata de un boggart de primera clase y muy peligroso. Como te dije, usamos una graduación que va del uno al diez. Recuérdalo, pues algún día podría salvarte la vida. Un boggart de grado diez es tan débil que la mayoría de la gente ni siquiera se daría cuenta de que está presente. En cambio, uno de esos seres de grado uno podría matarte fácilmente. Me costó una fortuna que trajeran esa piedra aquí, pero mereció la pena pagar hasta el último penique, pues ahora es un boggart apresado. No obstante, está apresado de manera artificial y permanecerá ahí hasta que Gabriel haga sonar su cornamusa.

»Tienes mucho que aprender sobre los boggarts, muchacho, y voy a empezar tu formación en cuanto acabemos de desayunar, pero hay una diferencia importante entre aquellos que están apresados y los que están libres. Un boggart libre es capaz, en muchos casos, de recorrer kilómetros desde su hogar y, si le apetece, hacer fechorías sin fin. Si un boggart es especialmente problemático y no quiere atender a razones, nuestro cometido es apresarlo. Si lo haces bien, entonces es lo que llamamos un boggart apresado artificialmente. De ese modo no puede moverse en absoluto. Por supuesto, es mucho más fácil decirlo que hacerlo. —De repente, el Espectro frunció el entrecejo, como si acabara de recordar algo desagradable—. Uno de mis aprendices lo pasó muy mal al intentar apresar a una de esas criaturas —dijo moviendo tristemente la cabeza—, pero como hoy es tu primer día, no hablaremos de este tema todavía.

En ese momento se oyó una campanilla a lo lejos, cuyo sonido provenía de la casa. El Espectro sonrió.

—¿Estamos despiertos o estamos soñando? —preguntó.

—Despiertos.

—¿Estás seguro? —Asentí, y añadió—: En ese caso, vamos a desayunar —dijo—. Te mostraré el otro jardín cuando tengamos lleno el estómago.

Capítulo 6
Una niña con zapatos de punta

La cocina había cambiado de aspecto desde mi última visita: un pequeño fuego ardía en la chimenea y había dos platos con beicon y huevos en la mesa. También había una hogaza de pan recién hecho y un taco grande de mantequilla.

—A comer, muchacho, antes de que se enfríe —me animó el Espectro.

Me puse a ello inmediatamente, y no tardamos mucho en terminarnos todo lo que había en los platos, además de la mitad de la hogaza. El Espectro se reclinó en el respaldo de su silla y, mesándose la barba, me hizo una pregunta en tono trascendental.

—¿No crees —empezó a decir clavando los ojos en los míos— que ha sido el mejor plato de beicon con huevos que has comido en tu vida?

No estaba de acuerdo. El desayuno había estado bien preparado. Estaba bueno, de acuerdo, al menos era mejor que haber tomado sólo queso, pero había probado cosas mejores. Cuando vivía en mi casa, el desayuno era cada día más rico. Mi madre era mucho mejor cocinera, pero por alguna razón no me parecía que ésa fuese la respuesta que el Espectro estaba esperando de mí. Así que le dije una mentirijilla sin mala intención, de esa clase de mentiras que en realidad no hacen ningún daño y sólo se dicen para que la gente se alegre al oírlas.

—Sí —respondí—, ha sido el mejor desayuno que he tomado en mi vida. Y lamento haber bajado antes de tiempo. Prometo que no volverá a pasar.

Al oír mis palabras, el Espectro sonrió tanto que pensé que se le iba a romper la cara en dos. Después me dio una palmada en la espalda y me condujo otra vez al jardín. Pero entonces se le desdibujó la enorme sonrisa del rostro.

—Así me gusta, muchacho —dijo—. Hay dos criaturas que reaccionan bien a la adulación. La primera es la mujer y la segunda es el boggart. Siempre funciona.

Bueno, como yo no había visto ni rastro de una mujer en la cocina, ese comentario confirmó mis sospechas: el que nos preparaba la comida era un boggart. Fue una sorpresa, por decir algo. Todo el mundo creía que los espectros eran asesinos de boggarts, o que los apresaban de tal modo que ya no podían hacer más fechorías. ¿Quién hubiera pensado que mi maestro tenía un boggart a su servicio para que le hiciera la comida y se ocupase de la limpieza?

—Éste es el jardín occidental —me explicó el Espectro, mientras caminábamos por el tercer sendero haciendo crujir bajo nuestras pisadas los guijarros blancos—. Aquí estarás a salvo tanto de día como de noche. Vengo aquí a menudo cuando tengo algún problema que requiere reflexión.

Cruzamos otro hueco del seto y enseguida nos encontramos entre los árboles. Noté la diferencia al instante. En el bosque los pájaros cantaban y los árboles se mecían dulcemente con la brisa de la mañana. Era un lugar más alegre.

Seguimos caminando hasta que salimos del bosque y llegamos a una ladera con vistas a las montañas a nuestra derecha. El cielo estaba tan limpio que se distinguían los muros de piedra sin mortero, que dividían en campos de cultivo la parte inferior de la ladera de la montaña y delimitaban el territorio de cada granjero. De hecho, las vistas se extendían hasta la cima misma de la montaña más próxima.

El Espectro señaló un banco de piedra que había a nuestra izquierda.

—Toma asiento, muchacho —me ofreció.

Hice lo que me decía y me senté. El Espectro se quedó mirándome unos minutos, sin apartar sus ojos verdes de los míos. Entonces se puso a andar de un lado a otro delante del banco, sin decir ni media palabra. Ya no me observaba, sino que tenía la mirada perdida en algún punto indefinido del espacio. Se apartó la capa negra y metió las manos en los bolsillos de los amplios pantalones, y entonces, de una manera muy súbita, se sentó a mi lado y empezó a hacerme preguntas.

—¿Cuántos tipos de boggarts crees que hay?

Yo no tenía ni idea.

—De momento, sé que hay por lo menos dos —respondí—: los libres y los apresados, pero no me aventuraría a decir cuántos más existen.

—Esa respuesta vale por dos, muchacho. Has recordado lo que te enseñé y has demostrado que no eres una persona atolondrada que se atreva a hacer suposiciones al tuntún. Verás, hay tantos tipos diferentes de boggarts como tipos de personas, y cada uno tiene una personalidad propia. Sin embargo, una vez dicho esto, hay varias clases de ellos que pueden reconocerse y nombrarse. A veces es por la forma que adoptan y otras veces debido a su comportamiento o a los trucos que suelen hacer.

Metió la mano en el bolsillo derecho, sacó un librillo encuadernado en cuero negro y me lo tendió.

—Ten, ahora es tuyo —dijo—. Cuídalo bien y, hagas lo que hagas, no lo pierdas.

El cuero de las tapas olía muy fuerte, y parecía que el libro estaba nuevo. Me desilusioné un poco al abrirlo y al comprobar que estaba lleno de páginas en blanco. Supongo que me había imaginado que contendría todos los secretos del oficio del Espectro, pero no era así. Se suponía que debía anotarlos yo mismo, pues a continuación mi maestro sacó del bolsillo una pluma y un pequeño tintero.

—Prepárate para tomar apuntes —indicó poniéndose de pie y empezando a andar otra vez de un lado a otro delante del banco—. Y ten cuidado de no derramar la tinta, muchacho. Que no la dan las vacas.

Conseguí descorchar el tintero y, con sumo cuidado, empapé la punta de la pluma y abrí el cuaderno por la primera página.

El Espectro ya había dado comienzo a la lección e iba muy deprisa.

—En primer lugar, hay boggarts peludos que adoptan formas de animales. La mayoría de éstos son perros, pero hay casi la misma cantidad de gatos y alguna que otra cabra también. Pero no olvides incluir a los caballos, que pueden ser muy astutos. Cualquiera que sea su forma, los boggarts peludos se pueden dividir en tres grupos: los hostiles, los amistosos y los que están en un término medio.

»A continuación tenemos los aldabones, que a veces se transforman en lanzadores de piedras, y en ese caso pueden enfadarse mucho si se les provoca. Uno de los tipos más desagradables de todos es el destripador de ganado, porque es igual de aficionado a la sangre humana. No obstante, no te quedes con la idea de que los espectros sólo se encargan de los boggarts, porque los muertos intranquilos nunca andan muy lejos de nosotros. Además, para empeorar aún más las cosas, las brujas son un auténtico problema en el condado. Ahora, en este lugar, no hay brujas que puedan preocuparnos, pero más al este, cerca del monte Pendle, son un verdadero peligro. Y recuerda que las brujas tampoco son todas iguales. En líneas generales, distinguimos cuatro categorías: las malévolas, las benignas, las acusadas de falsos cargos y las inconscientes.

Para entonces, como habréis podido imaginar, me encontraba en un serio aprieto. De entrada, el Espectro hablaba tan deprisa que no me había dado tiempo de anotar ni una sola palabra. En segundo lugar, ni siquiera sabía qué significaban esas palabras rimbombantes que estaba usando. Sin embargo, en ese momento hizo una pausa, y creo que debió de percatarse de la expresión de perplejidad de mi rostro.

—¿Algún problema, muchacho? —preguntó—. Vamos, escúpelo. No tengas miedo de hacer preguntas.

—No he entendido nada de lo que acaba de decir sobre las brujas —repliqué—. No sé qué significa «malévola» ni tampoco «benigna».

—Malévolo es lo mismo que malvado —me explicó—. Y benigno equivale a bueno. Y una bruja inconsciente es una bruja que no sabe que es bruja, y además, como es una mujer, tenemos un problema por partida doble. No te fíes nunca de las mujeres —añadió el Espectro.

—Mi madre es una mujer —repuse sintiéndome de pronto un tanto enojado—, y me fío de ella.

—Normalmente, las madres son mujeres —bromeó el Espectro—. Y, normalmente, todas las madres son bastante de fiar, siempre que uno sea hijo suyo. De lo contrario, ¡cuidado con ellas! Yo también tuve madre en su día y me fiaba de ella. Recuerdo bien esa sensación. ¿Te gustan las niñas? —preguntó sin venir a cuento.

—En realidad no conozco a ninguna —admití—. No tengo hermanas.

—Bien, en ese caso podrías ser víctima de sus trucos con facilidad. ¡Mucho cuidado con las niñas del pueblo! Sobre todo con las que lleven zapatos puntiagudos. Apúntalo. Por ahí puedes empezar.

¿Qué tendría de malo llevar zapatos de punta? Sabía que mi madre no estaría muy contenta si oyese lo que el Espectro acababa de decir. Ella opinaba que había que aceptar a las personas tal como uno creía que eran, sin depender de la opinión de un tercero. Pero, en fin, ¿qué otra cosa podía hacer? Así pues, en el encabezado de la primera página del libro escribí: «Niñas del pueblo con zapatos de punta».

El Espectro me observó mientras yo escribía, y a continuación, me pidió que le devolviese el libro y la pluma.

—Mira —señaló—, vas a tener que tomar apuntes más deprisa. Hay mucho que aprender y en poco tiempo habrás rellenado una docena de cuadernos, pero por ahora bastarán tres o cuatro encabezados más para empezar.

Entonces escribió: «Boggarts peludos» en el inicio de la segunda página; luego «Aldabones» en lo alto de la tercera página, y por último, «Brujas» al principio de la cuarta página.

—Ya está —aseguró—. Con eso empezarás. Tan sólo tienes que escribir lo que aprendas hoy bajo cada uno de esos cuatro encabezados. Pero ahora vamos a ocuparnos de algo más urgente: necesitamos provisiones. Por lo tanto baja al pueblo, o si no mañana pasaremos hambre. Ni siquiera el mejor cocinero puede preparar la comida si no dispone de los ingredientes. Recuerda que todo va dentro de mi saco, y ve a ver primero al carnicero, que es quien lo tiene. Sólo has de preguntar por el pedido del señor Gregory.

Me dio una pequeña moneda de plata y me dijo que no perdiese el cambio. A continuación me indicó que bajase la colina por la ruta más rápida para llegar al pueblo.

Al poco rato ya estaba otra vez metido entre los árboles, hasta que al final llegué a unos escalones que me permitieron subir por una tapia, tras la cual había un estrecho sendero que bajaba muy empinado. Unos cien pasos más abajo, aproximadamente, doblé por un recodo, y aparecieron ante mi vista los tejados de pizarra grisácea de Chipenden.

El pueblo era más grande de lo que había imaginado. Había por lo menos un centenar de casitas, además de una taberna, una escuela y una iglesia grande con campanario. No había ni rastro de lo que pudiera considerarse la plaza del mercado, pero la calle principal, adoquinada y muy empinada, estaba llena de mujeres con cestos repletos que entraban y salían de los comercios. A ambos lados de la calle esperaban caballos y carretas, por lo que era evidente que las esposas de los granjeros de la zona acudían al pueblo a hacer sus compras, así como también, sin duda, las gentes de las aldeas vecinas.

No me costó encontrar la carnicería. Guardé mi turno en la fila de mujeres, que armaban mucho barullo porque hablaban todas a voces con el carnicero, un grandullón muy animoso, con la cara sonrosada y la barba pelirroja. Parecía que conocía a cada una de las mujeres por su nombre, y ellas no paraban de reírle las gracias, que él prodigaba sin cesar. Yo no entendía la mayoría de los chistes, pero sin duda las mujeres sí, y realmente daba la impresión de que se lo estaban pasando de lo lindo.

Nadie me prestaba atención, pero al final llegué al mostrador y me tocó el turno.

—Vengo a recoger el pedido del señor Gregory —dije al carnicero.

Nada más decir eso, la tienda se quedó en silencio absoluto y cesaron las risas. El carnicero buscó detrás del mostrador y puso encima un saco grande. Detrás de mí oía los murmullos de la gente, pero aunque agucé el oído, no logré entender bien lo que estaban diciendo. Cuando eché un vistazo hacia atrás, vi que todas las mujeres dirigían la vista hacia otro lado en vez de mirarme a mí, e incluso algunas de ellas tenían la mirada fija en el suelo.

Pagué al carnicero con la moneda de plata, comprobé cuidadosamente el cambio, le di las gracias y salí de la tienda con el saco en brazos. Una vez en la calle, me lo eché al hombro. La visita a la verdulería no me llevó nada de tiempo, pues como las provisiones ya estaban envueltas, metí el paquete en el saco, que empezaba a pesar bastante.

Hasta ese momento todo había ido bien, pero cuando me dirigí a la panadería vi a la pandilla de chicos.

Eran unos siete u ocho y estaban sentados en el muro de un jardín. Eso no tenía nada de extraño, si no hubiera sido porque no se hablaban entre sí, pues se dedicaban a mirarme fijamente con cara de pocos amigos, como una manada de lobos, y observaban cada uno de mis movimientos sin perder detalle mientras me aproximaba a la tienda.

Cuando salí de la panadería, todavía estaban allí, y cuando inicié el ascenso a la colina, empezaron a seguirme. Bueno, aunque era demasiada coincidencia que en ese momento hubieran acabado de decidir que subirían la misma cuesta que yo, no me preocupé mucho. Después de haber vivido con seis hermanos, tenía mucha práctica con las peleas.

Oía el sonido de sus pisadas cada vez más cerca. Estaban dándome alcance bastante deprisa, pero quizás era porque yo caminaba más despacio cada vez. Ya me entendéis: no quería que pensasen que tenía miedo, y de todos modos el saco pesaba mucho y la cuesta por la que subía era muy empinada.

Me alcanzaron cuando me quedaban unos doce pasos para llegar a los escalones de la tapia, en el lugar donde el sendero dividía un bosquecillo. Había tantos árboles a ambos lados que tapaban el sol matinal.

—Abre ese saco, a ver lo que tenemos —ordenó una voz a mi espalda.

Era una voz fuerte y grave, acostumbrada a decirle a la gente lo que debía hacer, y contenía un inconfundible tono de amenaza que me indicaba que a su propietario le gustaba hacer daño y siempre andaba al acecho de su próxima víctima.

Me di la vuelta para enfrentarme a él, pero agarré el saco con más fuerza aún, bien pegado a mi hombro. No cabía duda de que el que había hablado era el jefe de la pandilla. Los demás eran muchachos de rostro flaco y macilento, como si pidiesen a gritos una buena comida, pero él tenía tal aspecto que parecía que había comido por todos juntos. Como mínimo me sacaba una cabeza, y tenía los hombros anchos y el cuello como el de un toro; el rostro también era amplio, con las mejillas sonrosadas, pero los ojos eran muy pequeños y parecía que no parpadeaba nunca.

Supongo que si ese chico no hubiese estado ahí y no se hubiese metido conmigo, me habría ablandado. Al fin y al cabo, varios de los muchachos parecían estar medio muertos de hambre, y en el saco llevaba un montón de manzanas y de pasteles. Por otra parte, nada de eso era mío, y no era quién para regalar nada.

—Esto no me pertenece —dije—. Es del señor Gregory.

—Pues a su último aprendiz eso no le preocupaba —respondió el jefe acercando su cara a la mía—. Abría el saco para que cogiésemos lo que quisiéramos. Si tuvieras dos dedos de frente, harías lo mismo. Y si no lo haces por las buenas, lo harás por las malas. Pero eso no te gustaría mucho, y al final dará lo mismo.

La pandilla empezó a acercárseme, y noté que, detrás de mí, había alguien que intentaba quitarme el saco. Ni siquiera entonces lo solté y, además, miré fijamente a los redondos y brillantes ojillos del jefe de la banda, haciendo esfuerzos para no parpadear.

En ese momento ocurrió una cosa que nos pilló por sorpresa: hubo un movimiento entre los árboles, en algún lugar a mi derecha, y todos nos volvimos hacia allí.

Se veía una forma oscura entre las sombras, y cuando mis ojos se acostumbraron a la penumbra, vi que se trataba de una niña. Venía lentamente hacia nosotros, pero avanzaba tan en silencio que podríais haber oído el sonido de una aguja al caer, y con tanta suavidad que parecía que flotaba en lugar de andar. Entonces se detuvo en el borde de las sombras de los árboles, como si no quisiera exponerse a la luz.

—¿Por qué no lo dejáis en paz? —dijo. Parecía una pregunta, pero el tono de la voz me indicaba que se trataba de una orden.

—¿Y a ti qué te importa? —preguntó el jefe de la pandilla adelantando el mentón y apretando los puños.

—De mí no tienes que preocuparte —respondió la niña desde las sombras—. Lizzie ha vuelto, y si no hacéis lo que os digo, tendréis que responder ante ella.

—¿Lizzie? —preguntó el chico, y dio un paso atrás.

—Lizzie *la Huesuda*. Es mi tía. No me dirás que no has oído hablar de ella...

¿Alguna vez habéis notado que el tiempo corre tan despacio que casi parece que se ha detenido, o habéis escuchado un reloj cuyo último «tac» parece que tarda siglos en sonar después del «tic» anterior? Bueno, pues eso mismo parecía estar pasando, hasta que, de una manera muy súbita, la niña profirió un fuerte siseo entre los dientes apretados. A continuación volvió a hablar.

—Vamos —dijo—. ¡Largo de aquí! ¡Marchaos! ¡Deprisa, o moriréis!

El efecto de sus palabras en la pandilla fue inmediato. Me dio tiempo a ver la expresión de algunos de los rostros, y me di cuenta de que no estaban simplemente asustados, sino aterrados y al borde del pánico. El jefe dio media vuelta y echó a correr por la pendiente, con los demás pisándole los talones.

No sabía por qué se habían asustado tanto, pero me entraron ganas de salir corriendo a mí también, pues la niña me miraba con los ojos como platos, y tuve la sensación de que no era capaz de controlar mis extremidades. Me sentía como si fuese un ratón paralizado por la mirada fija de un armiño a punto de saltar sobre mí en cualquier momento.

Me esforcé por mover el pie izquierdo y, lentamente, giré el cuerpo hacia los árboles para seguir en la dirección que apuntaba mi nariz, pero sin dejar de agarrar con fuerza el saco del Espectro. Fuese quien fuese aquella niña, no estaba dispuesto a soltarlo.

—¿Es que no vas echar a correr tú también? —me preguntó.

Negé con la cabeza. Tenía la boca muy seca y no podía fiarme de lo que intentase responder. Sabía que no me saldrían las palabras correctas.

La niña debía de tener mi edad o, en todo acaso, un año menos. Su rostro era bastante bonito, pues tenía unos enormes ojos castaños, pómulos altos y una melena larga y negra. Llevaba un vestido negro, ceñido a la cintura con un cordón blanco. Mientras observaba esos detalles, me fijé en algo que me sobresaltó: llevaba zapatos de punta, e inmediatamente recordé la advertencia del Espectro. Pero no me moví de mi sitio, decidido a no salir corriendo como habían hecho los demás.

—¿Es que no me vas a dar las gracias? —preguntó—. Sé amable y agradécemelo.

—Gracias —dije, poco convencido, concentrado únicamente en lograr pronunciar esa palabra a la primera.

—Bien, es un buen principio —comentó—. Pero para agradecérmelo de verdad, tienes que darme algo, ¿no? De momento, bastará con una manzana y un pastel. No es mucho pedir. Llevas de todo en el saco, y el viejo Gregory no se dará cuenta. Y si se da cuenta, no dirá nada.

Me extrañó que llamara «viejo Gregory» al Espectro. Sabía que no le haría gracia que lo llamasen así. Además, eso me indicaba dos cosas: en primer lugar, que la niña lo respetaba poco y, en segundo lugar, que no le tenía ni pizca de miedo. En mi pueblo, la mayoría de la gente temblaba sólo de pensar que el Espectro pudiese andar cerca.

—Lo lamento —repliqué—, pero no puedo hacer eso. No soy quién para regalar nada.

Me miró intensamente y permaneció en silencio durante un buen rato. En un momento dado pensé que iba a espantarme siseando entre los dientes. Le sostuve la mirada e intenté no pestañear, hasta que al final una leve sonrisa le iluminó el rostro y volvió a hablar.

—Entonces tendrás que hacerme una promesa.

—¿Una promesa? —pregunté, sin saber a qué se refería.

—Prométeme que me ayudarás, igual que lo he hecho yo. Ahora mismo no necesito ayuda, pero a lo mejor otro día sí.

—Vale —acepté—. Si alguna vez necesitas que te auxilie en el futuro, sólo tienes que pedírmelo.

—¿Cómo te llamas? —quiso saber dedicándome ahora una sonrisa bien amplia.

—Tom Ward.

—Pues yo me llamo Alice y vivo ahí detrás —dijo señalando a su espalda, entre los árboles—. Soy la sobrina favorita de Lizzie *la Huesuda*.

Lizzie *la Huesuda* era un nombre muy raro, pero habría sido de mala educación decírselo. Fuese quien fuese, el nombre de aquella señora había bastado para asustar a los chicos del pueblo.

Eso puso punto final a la conversación. Los dos nos dimos la vuelta para seguir cada uno su camino, pero cuando ya nos estábamos alejando, Alice exclamó mirando hacia atrás:

—¡Ten cuidado! No querrás terminar como el último aprendiz del viejo Gregory...

—¿Qué le pasó?

—¡Será mejor que se lo preguntes a él! —gritó ella, y desapareció entre los árboles.

ϒ

Cuando volví a la casa, el Espectro comprobó meticulosamente el contenido del saco y puso una marca en cada palabra de una lista.

—¿Has tenido algún contratiempo en el pueblo? —preguntó en cuanto hubo terminado.

—Unos chicos me siguieron por la cuesta y me pidieron que abriese el saco, pero les dije que no —respondí.

—Muy valiente por tu parte —dijo el Espectro—. La próxima vez no pasará nada si les das unas manzanas y unos pasteles. La vida ya es bastante dura, y algunos de esos muchachos pertenecen a familias muy pobres. Siempre encargo más de la cuenta por si me piden algo.

Eso me molestó. ¡Ojalá me lo hubiera dicho antes!

—No quise hacerlo sin haberlo consultado antes con usted —afirmé.

—¿Es que querías darles unas manzanas y unos pasteles? —comentó arqueando las cejas.

—No me gusta que se metan conmigo —respondí—, pero algunos de los chicos tenían pinta de estar hambrientos de verdad.

—Entonces la próxima vez fíate de tu instinto y ten iniciativa —repuso el Espectro—. Confía en tu voz interior, rara vez se equivoca. Un espectro depende mucho de eso porque a veces puede marcar la diferencia entre la vida y la muerte. Así pues, ésa es otra cosa que tendremos que averiguar sobre ti: si tus instintos son de fiar o no. —Hizo una pausa mientras me miraba intensamente, escudriñando mi rostro con los ojos verdes—. ¿Algún problema con las niñas? —preguntó de sopetón.

Como todavía estaba molesto, no respondí directamente a su pregunta.

—Ninguno en absoluto —repliqué.

No era una mentira, ya que Alice me había ayudado, y el suceso había sido todo lo contrario a un problema. Aun así, yo era consciente de que en realidad él quería saber si me había encontrado con alguna niña, y de que debería haberle hablado de ella, sobre todo teniendo en cuenta que Alice llevaba zapatos de punta.

Cometí muchos errores como aprendiz, y ése fue el segundo error grave: no decirle al Espectro toda la verdad.

El primero y aún más grave fue hacer aquella promesa a Alice.

Capítulo 7
Alguien tiene que hacerlo

A partir de entonces ocupaba los días con un sinfín de actividades. El Espectro me daba las clases a toda velocidad y me hacía escribir hasta que me dolía la muñeca y me picaban los ojos.

Una tarde me llevó a la otra punta del pueblo. Pasada la última casita de piedra, llegamos a un pequeño corro de sauces, que en el condado se llaman «árboles deshilachados». Era un lugar lúgubre. Colgando de una rama, había una cuerda, y al alzar la vista, vi una gran campana de bronce.

—Cuando alguien necesita ayuda —indicó el Espectro— no acuden a mi casa. Nadie sube allí, a no ser que se le haya invitado (con eso soy muy estricto), de modo que vienen a este rincón y hacen sonar la campana. Entonces nosotros acudimos.

Lo malo fue que, al cabo de varias semanas, nadie tocó la campana; por lo tanto, las únicas veces que yo iba más allá del jardín occidental era cuando llegaba el momento de bajar al pueblo a por las provisiones semanales. Como me sentía solo y echaba de menos a mi familia, era adecuado que el Espectro me tuviera siempre ocupado porque de esa manera no me daba tiempo de pensar en ello. Cada noche me acostaba agotado y me quedaba dormido en cuanto apoyaba la cabeza en la almohada.

Las clases eran lo más interesante de cada día, pero no aprendí mucho sobre cadáveres, fantasmas o brujas. El Espectro me había explicado que el tema principal del primer año de un aprendiz eran los boggarts, junto con asignaturas como la Botánica, lo cual quería decir que tenía que aprender de todo sobre las plantas, puesto que algunas de éstas eran verdaderamente útiles como medicinas o bien se podían comer cuando no tenías otro alimento. Pero mis clases no sólo consistían en tomar apuntes, ya que parte del trabajo era igual de duro y de físico que cualquiera de las tareas que había hecho en casa, en nuestra granja.

Todo empezó una cálida y soleada mañana en que el Espectro me dijo que dejara el cuaderno y me condujo a su jardín meridional. Además, me entregó dos objetos para que los llevase yo: una pala y una larga vara de medir.

—Los boggarts libres recorren las vías prehistóricas —me explicó—. Pero a veces algo va mal como consecuencia de una tormenta o incluso de un terremoto. En el condado no se recuerda ningún terremoto grave, pero eso no importa porque todas las vías prehistóricas están conectadas entre sí, y cuando alguna de ellas sufre un cambio, incluso a algo más de mil kilómetros de distancia, afecta a las demás. Entonces los boggarts quedan atrapados en el mismo sitio durante años, y por eso decimos que están «apresados de manera natural». En muchos casos no pueden moverse más que unas cuantas docenas de pasos en cualquier dirección y apenas causan problemas, a no ser que, casualmente, te encuentres demasiado cerca de ellos. Sin embargo, algunas veces pueden estar atrapados en sitios inimaginables, como cerca de una casa o incluso dentro de ella. En ese caso, a lo mejor te toca trasladar al boggart de allí y apresarlo en otro lugar de manera artificial.

—¿Qué es una vía prehistórica? —pregunté.

—Pues no todo el mundo se pone de acuerdo sobre eso, muchacho —me explicó—. Hay quien dice que se trata de meros senderos antiguos que se cruzan por la tierra y que eran los que usaban nuestros antepasados en la antigüedad, cuando los hombres eran hombres de verdad y las tinieblas sabían cuál era su sitio. La salud mejoró, la vida se prolongó y todo el mundo estaba feliz y contento.

—¿Y qué ocurrió?

—Que el hielo bajó del norte, y la Tierra se enfrió durante miles de años —continuó el Espectro—. Sobrevivir era tan difícil que los hombres se olvidaron de todo lo que habían aprendido, y se restó importancia a la sabiduría ancestral. Lo único que importaba era mantenerse caliente y comer. Cuando al final se retiró el hielo, los supervivientes eran cazadores vestidos con pieles de animales que ya no recordaban cómo cultivar cereales ni cómo manejar a las bestias. Las tinieblas eran todopoderosas.

»Bueno, ahora las cosas han mejorado, aunque aún tenemos que recorrer un largo camino. Lo único que queda de aquella época son las vías prehistóricas, pero lo cierto es que son algo más que simples senderos porque en realidad son caminos de poder que se extienden hasta más allá de los confines de la Tierra. Unos caminos, secretos e invisibles, que los boggarts libres pueden usar para viajar a gran velocidad. Ese tipo de boggarts son los que causan mayores trastornos porque, cuando establecen su morada en una nueva ubicación, muchas veces no son bienvenidos, y eso los irrita mucho. Entonces se dedican a hacer sus trucos, algunos muy peligrosos, lo cual supone una tarea para nosotros, pues en ese caso hay que apresarlos de manera artificial en una fosa. Como la que vas a cavar ahora mismo...

»Éste es un buen sitio —dijo señalando una zona del suelo, cerca de un gran roble viejo—. Creo que hay espacio suficiente entre las raíces.

El Espectro me dio la vara de medir para que mi fosa tuviese exactamente dos metros de longitud, dos de profundidad y noventa centímetros de anchura. Aun estando a la sombra, hacía demasiado calor para cavar, y tardé horas y horas en acabarla porque el Espectro era un perfeccionista.

Después de cavar la fosa, tuve que preparar una olorosa mezcla de sal, limadura de hierro y un tipo especial de pegamento, hecho a base de huesos.

—La sal puede quemar a un boggart —explicó el Espectro—. Por otra parte, el hierro conecta las cosas a la tierra; del mismo modo que los rayos buscan la tierra hasta tocarla y así pierden su potencia, a veces el hierro logra que se descargen la fuerza y la esencia de las cosas que acechan en la oscuridad y puede poner fin a las fechorías de los boggarts problemáticos. Utilizados a la vez, la sal y el hierro forman una barrera imposible de franquear para un boggart, y son dos elementos que pueden resultar útiles en muchas situaciones.

Después de remover la mezcla en un gran cubo de metal, me serví de un enorme cepillo para revestir el interior de la fosa. Era como pintar, pero más costoso, y el revestimiento debía quedar perfecto para impedir que escapase hasta el boggart más habilidoso.

—Asegúrate de taparlo todo bien, muchacho —me indicó el Espectro—. Los boggarts pueden escaparse por un agujero tan minúsculo como la cabeza de un alfiler.

Por supuesto, en cuanto el Espectro estuvo satisfecho con el acabado de la fosa, tuve que rellenarlo y empezar de nuevo. Me hizo cavar dos fosas de prueba a la semana, una tarea ardua que me dejaba empapado de sudor y me llevaba mucho tiempo. Además, daba un poco de miedo porque tenía que trabajar cerca de otras fosas que contenían auténticos boggarts, e incluso a plena luz del día el sitio daba escalofríos. Me fijé en que el Espectro nunca se alejaba demasiado y siempre parecía estar pendiente y alerta, y me decía que con los boggarts nunca había que arriesgarse, aunque estuviesen apresados.

El Espectro me aconsejó que también era necesario que conociera el condado palmo a palmo: las ciudades, los pueblos y los caminos más directos entre dos puntos cualesquiera. Lo malo fue que, aunque mi maestro me dijo que tenía un montón de mapas en la biblioteca, en la segunda planta de la casa, parecía que siempre me tocaba hacer las cosas de la manera más difícil, pues me ordenó que empezara por dibujar mi propio mapa.

En el centro dibujé su casa y los jardines, y tuve que incluir el pueblo y la montaña más próxima. La idea era que fuese ampliando el mapa poco a poco al añadir cada vez más elementos del paisaje. Pero dibujar no era mi fuerte y, como he dicho antes, el Espectro era un perfeccionista; por ese motivo tardé mucho en elaborarlo. Él no me mostró sus propios mapas hasta que hube dibujado el mío, pero después me tuvo más tiempo doblándolos cuidadosamente que analizándolos.

También empecé a escribir un diario. Para este cometido el Espectro me dio otro cuaderno y, por enésima vez, me dijo que era fundamental que registrase todos los sucesos, para que siempre pudiese aprender del pasado. Sin embargo, no escribía en él todos los días, unas veces porque estaba demasiado cansado, y otras porque me dolía mucho la muñeca de tomar apuntes a toda velocidad en el otro cuaderno, mientras hacía esfuerzos por seguir el hilo de lo que decía mi maestro.

Una mañana, durante el desayuno, cuando ya hacía un mes que estaba con el Espectro, me preguntó:

—¿Qué te ha parecido hasta ahora, muchacho?

No sabía si se refería al desayuno o a qué. A lo mejor es que habría un segundo plato para compensar que el beicon se había tostado más de la cuenta esa mañana. Por si acaso, me limité a encogerme de hombros. No quería ofender al boggart, que seguro que nos estaba escuchando.

—Bueno, es un trabajo duro y no te recriminaría que quisieras dejarlo —opinó—. Cuando pasa el primer mes, siempre ofrezco al nuevo aprendiz la posibilidad de que vuelva a su casa y sopese con detenimiento si quiere seguir adelante o no. ¿Quieres regresar?

Intenté por todos los medios no mostrar mi entusiasmo, pero no logré borrar la sonrisa de mi rostro. Lo malo era que cuanto más sonreía, más triste parecía el Espectro. Me daba la sensación de que quería que me quedase, pero yo no podía esperar más a marcharme de allí. La mera idea de volver a ver a mi familia y de comer los platos de mi madre me parecía un sueño.

En cuestión de una hora ya estaba a punto para partir.

—Eres un muchacho valiente y agudo de ingenio —me dijo al pie de la cancela—. Has superado el mes de prueba, así que puedes decirle a tu padre que, si quieres continuar, iré a verlo en otoño para cobrar mis diez guineas. Tienes madera para ser un buen aprendiz, pero todo depende de ti, muchacho. Si no vuelves, entenderé que has optado por dejarlo. De lo contrario, te espero aquí dentro de una semana. A partir de ese momento te daré cinco años de formación, tras los cuales serás casi tan bueno para este oficio como yo.

Muy contento, emprendí el camino de regreso a la granja. Ya me entendéis: no quería decírselo al Espectro, pero en cuanto me ofreció la posibilidad de ir a casa y tal vez no volver nunca más, pensé que era, precisamente, lo que haría. El trabajo era durísimo. Por lo que me había contado el Espectro, además de ser un oficio solitario, era peligroso y aterrador. En realidad a nadie le preocupaba si estabas vivo o muerto. Lo único que les importaba era que los librases de lo que les estaba atormentando, y no se paraban a pensar en el coste que esa misión podría tener para ti.

El Espectro me había contado que una vez casi lo mata un boggart. Era del tipo aldabón y en un abrir y cerrar de ojos se había transformado en lanzapiedras y casi le parte la crisma con un pedrusco del tamaño de un puño de herrero. Me contó también que aún no le habían pagado por el servicio, pero que esperaba cobrar el dinero la próxima primavera. Bueno, todavía quedaba mucho tiempo para que llegase la siguiente primavera... ¡menudo negocio! Al iniciar el camino hacia casa, iba convencido de que estaría mucho mejor trabajando en la granja.

Lo malo era que tardaría casi dos días en llegar a casa, lo que suponía disponer de mucho tiempo para reflexionar. Me acordé del aburrimiento que sentía algunos días en la granja. ¿De verdad soportaría trabajar allí durante el resto de mi vida?

Después me puse a pensar en lo que diría mi madre. Se había ilusionado mucho con que fuese el aprendiz del Espectro y, si ahora lo dejaba, la defraudaría seriamente. Por eso, lo que más me costaría sería decírselo y observar su reacción.

Al anochecer del primer día de regreso a casa, me terminé todo el queso que me había dado el Espectro para el viaje. Como no tenía más comida, al día siguiente sólo me detuve una vez para mojarme los pies en un arroyo, y llegué a casa justo antes del ordeño de la tarde.

Cuando abrí la cancela del patio, mi padre se dirigía al establo de las vacas y, al verme, se le iluminó el rostro con una amplia sonrisa. Me ofrecí para ayudarlo a ordeñar y poder así conversar con él, pero me dijo que entrase en casa directamente para hablar con mi madre.

—Te ha echado de menos, hijo. Se va a alegrar mucho de verte.

Me dio unas palmaditas en la espalda y se fue a ordeñar las vacas. Pero, antes de haber dado media docena de pasos, Jack salió del granero y vino derecho hacia mí.

—¿Cómo es que has vuelto tan pronto? —me preguntó. Parecía algo distante. Bueno, a decir verdad, más que distante se mostraba frío, y hacía una especie de mueca con el rostro, como si estuviese intentado reñirme y sonreír al mismo tiempo.

—El Espectro me ha enviado a casa unos días. Tengo que decidir si quiero seguir o no.

—¿Y qué vas a hacer?

—Voy a hablar de eso con mamá.

—Seguro que te sales con la tuya, como siempre —dijo Jack.

En esos momentos me miraba ya con una clara expresión de desagrado, y me dio la impresión de que había ocurrido algo en mi ausencia. ¿Por qué, si no, se mostraba de repente tan antipático conmigo? ¿Es que no quería que volviese a casa?

—Y no me puedo creer que te llevases la caja de yesca de papá —añadió.

—Él me la dio —repliqué—. Quería que me la quedase.

—Te la ofreció, pero en realidad no quería que te la apropiases. Lo que hay de malo contigo es que sólo piensas en ti mismo. Piensa en el pobre papá. Le encantaba esa cajita.

No dije nada porque no quería discutir con él, pero estaba convencido de que se equivocaba. Papá había querido que me quedase con la caja de yesca, de eso estaba seguro.

—Mientras esté por aquí, te ayudaré —le dije intentando cambiar de tema.

—¡Si de verdad quieres ganarte el sustento, ve a dar de comer a los cerdos! —exclamó mientras se daba la vuelta para marcharse. A ninguno nos gustaba esa tarea. Teníamos unos cerdos grandes, peludos y malolientes, y siempre estaban tan hambrientos que era peligroso darles la espalda.

A pesar de lo que había dicho Jack, me alegraba de estar en casa. Mientras cruzaba el patio, eché un vistazo a la vivienda. Los rosales trepadores de mi madre tapaban casi toda la pared posterior y siempre tenían buen aspecto aunque dieran al norte. Ahora empezaban a dar brotes, pero a mediados de junio se cubrirían de rosas rojas.

La puerta trasera siempre se quedaba atascada, pues una vez había caído un rayo encima de la casa y la puerta se había quemado. Se había puesto una nueva, pero el marco había quedado un tanto combado. Tuve que empujar con fuerza para abrirla, pero mereció la pena el esfuerzo porque lo primero que vi fue el rostro sonriente de mi madre.

Estaba sentada en su vieja mecedora, en el rincón más alejado de la cocina, un sitio al que nunca llegaba el sol porque le dolían los ojos si la luz era demasiado fuerte. Mamá prefería el invierno al verano, y la noche al día.

Se alegró mucho de verme, y al principio traté de demorar el momento en que le diría que había vuelto para quedarme. Puse cara de que no pasaba nada y fingí sentirme feliz y contento, pero ella veía en mi interior. Nunca podía ocultarle nada.

—¿Qué te pasa? —preguntó. Me encogí de hombros e intenté sonreír, pero seguro que disimular los sentimientos se me dio aún peor que a mi hermano—. Vamos, dilo —me incitó—. No tiene sentido que te lo guardes.

No respondí hasta un buen rato después porque estaba intentando encontrar la manera de expresarlo con palabras. Poco a poco la mecedora de mi madre fue ralentizándose hasta que al final se detuvo por completo. Eso siempre era mala señal.

—He pasado el mes de prueba, y dice el señor Gregory que de mí depende si sigo o no. Pero me siento solo, mamá —confesé por fin—. Es tan malo como me imaginaba. No tengo amigos ni a nadie de mi edad con quien hablar. Me siento tan solo... Me gustaría volver y trabajar aquí.

Podría haberle dicho más cosas, contarle lo felices que éramos en la granja cuando todos mis hermanos vivían en la casa. Pero no lo hice, pues sabía que ella también los echaba de menos. Pensé que me comprendería debido a ese mismo motivo, pero me equivoqué.

Antes de que mi madre hablase, se produjo un largo silencio, aunque oía a Ellie que barría en la otra habitación, canturreando en voz baja mientras hacía sus tareas.

—¿Solo? —se extrañó al fin mi madre, y su voz estaba llena de ira, más que de comprensión—. ¿Cómo puedes sentirte solo? Te tienes a ti mismo, ¿no? Si alguna vez te perdieses a ti mismo, entonces estarías verdaderamente solo, pero entretanto, deja de quejarte. Casi eres un hombre, y un hombre tiene que trabajar. Desde que el mundo es mundo, los hombres han desempeñado trabajos que no les agradan. ¿Por qué ibas tú a ser diferente? Eres el séptimo hijo de un séptimo hijo, y éste es el oficio para el que naciste.

—Pero el señor Gregory ha formado a otros aprendices —repliqué—. Podría regresar uno de ellos y cuidar del condado. ¿Por qué tengo que ser yo?

—El Espectro ha instruido a muchos, pero muy pocos terminaron el período de formación —me explicó mi madre—. Y los que lo acabaron no le llegan ni a la suela del zapato. Tienen defectos o son débiles o cobardes. Van por mal camino y piden dinero a cambio de poca cosa. Por eso ahora sólo quedas tú, hijo mío. Tú representas la última oportunidad, la última esperanza. Alguien tiene que hacerlo. Alguien tiene que plantar cara a las tinieblas. Y tú eres el único capaz. —La mecedora empezó a moverse otra vez ganando impulso a cada vaivén—. Bien, me alegro de haber aclarado este asunto. ¿Quieres esperar a la cena, o te pongo un poco en cuanto esté lista? —preguntó.

—No he comido nada en todo el día, mamá, ni siquiera para desayunar.

—Bueno, hoy tenemos guisado de conejo. Seguro que te levanta un poco los ánimos.

Me senté a la mesa de la cocina, mientras mi madre se afanaba en los fogones. No recordaba haberme sentido nunca tan deprimido y triste como en ese momento. El guisado de conejo olía de maravilla y se me empezó a hacer la boca agua. Nadie cocinaba mejor que ella. Merecía la pena haber vuelto a casa, aunque fuese para comer una sola vez.

Con una sonrisa, mi madre acercó a la mesa un enorme plato de humeante guisado y lo puso delante de mí.

—Voy a subir a prepararte la habitación —dijo—. Ahora que estás aquí, a lo mejor quieres quedarte unos días.

Le di las gracias con un murmullo y no esperé a empezar a comer. En cuanto mi madre subió al piso de arriba, Ellie apareció en la cocina.

—Me alegro de verte, Tom —me saludó con una sonrisa, y dirigió la vista al generoso plato de comida que me estaba zampando—. ¿Quieres un poco de pan para acompañar?

—Sí, por favor —respondí, y Ellie me untó tres gruesas rebanadas de pan con mantequilla, antes de sentarse a la mesa enfrente de mí. Me lo comí todo sin parar siquiera a tomar aire, y al final rebañé el plato con la última gran rebanada de pan recién hecho.

—¿Te sientes mejor ahora?

Asentí en silencio y traté de sonreír, pero supe que no me había salido del todo bien porque de repente Ellie me miró con cara de preocupación.

—No he podido evitar oír lo que le estabas diciendo a tu madre —afirmó—. Estoy segura de que no es tan malo como cuentas. Se debe sólo a que todo te resulta nuevo y extraño en el trabajo, pero enseguida te acostumbrarás. Además, no tienes que volver inmediatamente. Después de pasar unos días en casa, te sentirás mejor. Y siempre serás bienvenido aquí, incluso cuando la granja pertenezca a Jack.

—Creo que a Jack no le hace gracia verme por aquí.

—¿Por qué? ¿Qué te hace pensar eso? —preguntó Ellie.

—Es que no parecía muy simpático, nada más. Me parece que no quiere que esté aquí.

—No te preocupes por el grandullón de tu hermano. Ya me encargaré yo de él.

Sonreí (esta vez de verdad) porque tenía razón. Como dijo mi madre una vez, Ellie era capaz de doblegar a Jack con sólo mover el meñique.

—Lo que más le preocupa es esto de aquí —añadió Ellie acariciándose el vientre—. La hermana de mi madre falleció cuando dio a luz, y en mi familia sigue hablándose de ese suceso todavía hoy. Por eso Jack está nervioso, pero yo no me preocupo en absoluto porque no podría estar en mejor sitio que aquí, al lado de tu madre, que sabrá cuidarme. —Hizo una pausa—. Pero hay algo más: tu nuevo trabajo le tiene preocupado.

—Pues parecía bastante contento antes de que me marchase —dije.

—Se comportaba así porque eres su hermano y te quiere. Pero el oficio de espectro asusta a la gente. Les incomoda. Supongo que si te hubieses ido definitivamente, todo habría ido bien. Pero Jack dijo que el día que os fuisteis, subisteis al bosque del monte, y que desde entonces los perros han estado inquietos y ni siquiera se atreven a acercarse al prado norte.

»Jack piensa que habéis revuelto algo. Imagino que no es más que eso —prosiguió Ellie acariciándose suavemente el vientre de nuevo—. Sólo quiere protegerte, pues piensa en su familia. Pero tú no te preocupes porque al final todo se solucionará por sí solo.

Me quedé tres días en casa. Durante ese tiempo traté de poner cara de que no pasaba nada, pero al final me di cuenta de que era hora de partir. A la última persona que vi antes de marcharme fue a mi madre. Estábamos solos en la cocina, y ella me dio un leve apretón en el brazo y me dijo que estaba orgullosa de mí.

—No sólo eres siete veces siete —dijo sonriéndome cálidamente—, sino que además eres mi hijo y tienes la fuerza necesaria para hacer lo que hay que hacer.

Asentí para darle la razón porque quería que estuviese contenta, pero la sonrisa de mis labios se desdibujó en cuanto salí del patio. Inicié la penosa marcha en dirección a la casa del Espectro con el corazón hundido en las botas, sintiéndome herido y defraudado al comprobar que mi madre no quería que me quedase en casa.

Llovió durante todo el trayecto hasta Chipenden, y al llegar, estaba helado, mojado y deprimido. Pero cuando me hallé ante la cancela del jardín, me llevé una sorpresa: el pestillo se levantó por sí solo y la portezuela se abrió sin que yo la tocase. Fue una especie de bienvenida, como si me animasen a entrar, algo que yo creía que estaba reservado para el Espectro. Supongo que esos detalles deberían haberme agradado, pero no fue así. Para mí era escalofriante.

Llamé tres veces a la puerta y entonces observé que la llave estaba puesta en el cerrojo. Como nadie acudió a mi llamada, giré la llave y abrí la puerta.

Miré en todas las habitaciones de la planta baja, excepto en una, y a continuación di una voz por el hueco de la escalera. Como no hubo respuesta, me aventuré a entrar en la cocina.

Había un fuego encendido en la chimenea, y en el centro de la mesa, preparada para un comensal, se hallaba un copioso y humeante estofado. Tenía tanta hambre que me puse a comer directamente, y casi me lo había terminado todo cuando vi la nota que había debajo del salero.

> He ido a Pendle, en el este, porque ha surgido un problema con una bruja. Estaré fuera algunos días. Siéntete como en casa, pero no te olvides de recoger las provisiones de la semana. Como de costumbre, el carnicero tiene mi saco. Ve allí primero.

Pendle era una de aquellas colinas rocosas, en realidad casi una montaña, y se hallaba bastante lejos, al este del condado. La zona estaba plagada de brujas y era un lugar peligroso, sobre todo si ibas solo. Esa circunstancia volvió a recordarme lo arriesgado que podía ser el oficio del Espectro.

Pero no pude evitar sentirme un poco molesto: ¡tanto tiempo esperando a que pasase algo, y precisamente cuando estoy fuera, el Espectro se marcha sin mí!

Dormí bien esa noche, pero no lo suficientemente profundo para no oír la campanilla del desayuno.

Bajé en el momento oportuno y fui recompensado con el mejor plato de beicon y huevos que había probado en casa del Espectro. Estaba tan contento que, antes de levantarme de la mesa, hablé en voz alta empleando las palabras que decía mi padre cada domingo después del almuerzo.

—Estaba muy bueno —dije—. Mis felicitaciones al cocinero.

Nada más decir eso salió una llamarada del fuego, y un gato empezó a ronronear. No veía a ningún gato, pero el sonido que hacía era tan fuerte que os prometo que los cristales de las ventanas vibraban. Era evidente que había dicho lo adecuado.

Así pues, muy contento conmigo mismo, me puse en marcha para bajar al pueblo a buscar las provisiones. El sol lucía en un cielo azul sin nubes, los pájaros cantaban y, tras la lluvia del día anterior, el mundo entero parecía resplandecer como nuevo.

Empecé por la carnicería, donde recogí el saco del Espectro, y después pasé por la frutería y terminé en la panadería. Había unos muchachos del pueblo apoyados en la pared de al lado. No eran tantos como la vez anterior ni estaba con ellos el jefe de la pandilla, aquel muchacho fornido con el cuello como el de un toro.

Recordando lo que me había dicho el Espectro, me acerqué directamente a ellos.

—Lamento lo del otro día —me disculpé—, pero soy nuevo aquí y no conocía bien las reglas del lugar. El señor Gregory me ha dicho que podéis coger una manzana y un pastel cada uno. —Dicho esto, abrí el saco y di a cada muchacho lo que les había prometido. Abrieron tanto los ojos que casi se les salen de las cuencas, y uno por uno me dieron las gracias.

En lo alto del sendero había alguien esperándome: era Alice y, como la vez anterior, estaba de pie en la sombra de los árboles, como si no le gustase el sol.

—Te doy una manzana y un pastel si quieres —le ofrecí.

Me sorprendí, pero me dijo que no con la cabeza.

—Ahora no tengo hambre —respondió—. Pero deseo una cosa: necesito que cumplas tu palabra, necesito que me ayudes.

Me encogí de hombros. Una promesa es una promesa, y recordaba que se la había hecho. ¿Qué otra cosa podía hacer, sino cumplir mi palabra?

—Dime lo que quieres y lo haré lo mejor que pueda —repliqué.

Una vez más el rostro de Alice se iluminó con una sonrisa muy amplia. Llevaba un vestido negro y los zapatos de punta, pero por alguna razón aquella sonrisa hizo que se me olvidasen esos detalles. Aun así, lo que dijo a continuación me inquietó y estropeó bastante el resto del día.

—No te lo voy a decir ahora —aseguró—. Lo haré esta noche en el momento en que se ponga el sol. Ven a verme cuando oigas la campana del viejo Gregory.

Oí la campana un poco antes del anochecer y, acongojado, bajé la colina hacia el corro de sauces en donde se cruzaban los caminos. No me parecía correcto que Alice hiciese sonar la campana, a no ser que tuviese algún encargo para el Espectro, pero por alguna razón dudé de que ése fuera el motivo.

En el cielo, a lo lejos, los últimos rayos del sol bañaban las cimas de las colinas rocosas con un tenue resplandor anaranjado, pero abajo, entre los árboles deshilachados, todo estaba gris y lleno de sombras.

Tuve un estremecimiento al ver a la niña, porque estaba tirando de la cuerda sólo con una mano y, aun así, lograba que el badajo de la enorme campana se agitase como loco. A pesar de tener los brazos flacos y la cintura estrecha, debía de ser muy fuerte.

Dejó de tirar de la cuerda en cuanto aparecí y puso las manos en jarras mientras las ramas seguían agitándose por encima de su cabeza. Estuvimos un siglo mirándonos sin decir nada hasta que un cesto que había a los pies de Alice atrajo mi mirada. Dentro había algo tapado con una tela negra.

Levantó el cesto y me lo tendió.

—¿Qué es? —pregunté.

—Es para ti; para que puedas cumplir tu palabra.

Acepté el presente, pero no me hizo mucha gracia. Sentí curiosidad y alargué la mano para levantar la tela negra.

—No, déjalo así —me cortó Alice en tono tajante—. Que no les entre aire, o se estropearán.

—¿Qué son? —pregunté. Se estaba haciendo de noche por momentos, y empezaba a ponerme nervioso.

—Unos pasteles.

—Muchas gracias —dije.

—No son para ti —contestó ella, y le asomó una sonrisilla en las comisuras de los labios—. Esos pasteles son para la vieja Madre Malkin.

La boca se me quedó seca, y noté que un escalofrío me recorría la espalda. Madre Malkin era la bruja viva que el Espectro tenía en una fosa en el jardín.

—Creo que al señor Gregory no le gustaría que lo hiciera —me defendí—. Me ordenó que me mantuviese lejos de ella.

—El viejo Gregory es un hombre muy cruel —afirmó Alice—. La pobre Madre Malkin lleva casi trece años metida en un húmedo y oscuro hoyo excavado en la tierra. ¿Acaso es correcto tratar tan mal a una anciana?

Me encogí de hombros. A mí tampoco me parecía bien. Me costaba defender la actitud del Espectro, pero me había dicho que existía una muy buena razón para hacerlo.

—Mira —continuó Alice—, no te vas a meter en ningún lío porque el viejo Gregory no debe enterarse. Lo único que vas a hacer es tener una pequeña atención con ella. Son sus pasteles favoritos, hechos en casa. No hay nada malo en eso. Es un detalle de nada, para que resista el frío. Es que se le mete directamente en los huesos, en serio. —Una vez más, me encogí de hombros. Parecía que los mejores pretextos se le ocurrían a ella—. Así pues, no tienes más que llevarle un pastel cada noche. Tres pasteles para tres noches. Y lo mejor es que lo hagas a medianoche porque es cuando le entra el hambre. Dale el primero hoy mismo.

Alice se dio la vuelta para marcharse, pero antes se giró para dedicarme una sonrisa.

—Podríamos hacernos buenos amigos, tú y yo —sugirió con una risilla.

Entonces desapareció en la creciente oscuridad.

Capítulo 8
La vieja Madre Malkin

Cuando regresé a la casa del Espectro, empecé a preocuparme, y cuanto más vueltas le daba al tema, más confuso lo veía. Me imaginaba lo que el Espectro habría hecho: habría tirado los pasteles y me habría dado una larga lección sobre las brujas y sobre los problemas que ocasionaban las niñas que llevaban zapatos puntiagudos.

Pero como no estaba en casa, no podía decirme nada. Hubo dos cosas que me convencieron para meterme entre las tinieblas del jardín oriental, donde mi maestro guardaba a las brujas. La primera era mi promesa a Alice.

«Nunca prometas nada que no estés dispuesto a cumplir», me aconsejaba siempre mi padre. Por supuesto, no me quedaba otro remedio. Él me había enseñado a distinguir lo que estaba bien de lo que estaba mal, y por el hecho de que fuese el aprendiz del Espectro, no significaba que tuviera que cambiar totalmente mi manera de comportarme.

En segundo lugar, no me parecía bien tener prisionera a una anciana en un hoyo. Hacerle eso a una bruja muerta parecía tener sentido, pero no a una viva. Recuerdo que me pregunté cuál habría sido el terrible crimen que había cometido esa mujer para haber merecido tal castigo.

¿Qué daño podía causar el hecho de llevarle tres pasteles? Tan sólo se trataba de que su familia le prestaba un poco de atención para ayudarla a resistir el frío y la humedad. El Espectro me había dicho que confiase en mi instinto y, después de sopesar las cosas, sentí que iba a hacer lo correcto.

Lo malo era que tenía llevar yo mismo los pasteles, y además, a medianoche. A esas horas todo está bastante oscuro, en especial si no hay luna.

Me acerqué al jardín oriental llevando el cesto. Estaba oscuro, pero no tanto como esperaba. He de aclarar que, por una parte, siempre he tenido buena vista de noche (creo que lo he heredado de mi madre, pues ella siempre se las arregla bien en la oscuridad), y por otra parte, esa noche el cielo estaba despejado y la luz de la luna me ayudaba a ver el camino.

Al meterme entre los árboles, de repente empezó a hacer frío, y me estremecí. Pero cuando llegué a la primera tumba, la que estaba rodeada de piedras y tenía las trece barras por encima, sentí aún más frío. Allí era donde estaba enterrada la primera bruja. Sin embargo, según había dicho el Espectro, ella era débil y tenía poca fuerza. Así pues, intentando convencerme a mí mismo por todos los medios, me dije que no tenía nada que temer.

Estaba claro que decidir llevarle los pasteles a Madre Malkin a plena luz del día era una cosa, pero ahora, en medio del jardín y casi a medianoche, ya no estaba tan seguro. El Espectro me había dicho que no me acercase a ese lugar al caer la noche. Me lo había advertido más de una vez, así que tenía que ser una regla importante y yo la estaba incumpliendo.

Distinguía todo tipo de sonidos casi imperceptibles. Los susurros y chasquidos que oía no debían de tener ninguna importancia, probablemente los hacían los pequeños bichitos a los que había asustado al salirme del camino, pero me recordaban que yo no tenía ningún derecho a estar allí.

Como el Espectro me había comentado que las otras dos brujas estaban a unos veinte pasos de distancia, fui contándolos cuidadosamente hasta que llegué a una segunda tumba que era idéntica a la primera. Me acerqué un poco más para cerciorarme, y en efecto, ahí estaban las barras de hierro; debajo de ellas, se distinguía la tierra bien prieta sin una brizna de hierba. Esta bruja estaba muerta, pero seguía siendo peligrosa. Era la que había sido enterrada cabeza abajo. Eso significaba que las plantas de sus pies estaban en algún lugar justo debajo de la superficie.

Mientras contemplaba la tumba, creí ver que algo se movía, como una especie de temblor. Seguramente era cosa de mi imaginación, o tal vez algún animalillo del bosque (un ratón o una musaraña o algo parecido). Me marché a toda prisa. ¿Y si había sido un dedo del pie?

Tres pasos más y llegué al lugar que andaba buscando. No cabía duda al respecto. De nuevo, veía un cerco de piedras y trece barrotes, pero había tres diferencias: en primer lugar, el área que cubrían las barras era un cuadrado, más que un rectángulo; en segundo lugar, era de mayor tamaño, quizá de unos cuatro pasos por cuatro; y, en tercer lugar, no había tierra compacta bajo las barras, sino un agujero muy negro excavado en el suelo.

Me detuve en seco y escuché con mucha atención. Hasta entonces no había percibido mucho ruido, sino solamente los leves susurros de las criaturas de la noche y una suave brisa. Una brisa tan ligera que apenas la había notado, pero de la que me percaté en cuanto cesó. De repente todo quedó en la más absoluta calma, y el bosque se sumió en un silencio poco natural.

Veréis: había estado aguzando el oído para intentar oír a la bruja, y ahora tenía la sensación de que era ella la que me estaba escuchando a mí.

El silencio pareció durar una eternidad, pero de pronto me di cuenta de que estaba oyendo una leve respiración que salía de la fosa. De alguna manera ese sonido era capaz de desplazarse. Di unos pasos más y llegué casi al borde del hoyo hasta que la punta de mis botas tocó la hilera de piedras.

En ese momento recordé algo que el Espectro me había contado sobre Madre Malkin: «...casi todos sus poderes se los ha tragado la tierra. Le encantaría echarle el guante a un muchacho como tú».

Así pues, retrocedí un paso, aunque no mucho más, y las palabras del Espectro me dejaron pensativo. ¿Y si salía una mano de la fosa y me agarraba por el tobillo?

Como quería acabar con aquel asunto cuanto antes, la llamé suavemente en medio de la oscuridad.

—Madre Malkin —dije—. Le he traído una cosita. Es un regalo de parte de su familia. ¿Está usted ahí? ¿Me oye?

No hubo respuesta, pero me pareció que el ritmo de la respiración que se percibía allí abajo se aceleraba. Sin perder más tiempo y ansioso por volver a la cálida casa del Espectro, metí la mano en el cesto y palpé bajo la tela. Cogí uno de los pasteles, que era blando y un poco pegajoso al tacto, lo saqué y lo sostuve sobre las barras.

—Sólo es un pastel —dije suavemente—. Espero que le siente bien. Mañana por la noche le traeré otro más.

En cuanto dije estas palabras, solté el pastel y dejé que cayese por el negro hueco.

Debería haber vuelto inmediatamente a la casa, pero me quedé unos instantes aguzando el oído de nuevo. No sé lo que esperaba oír, pero fue un error.

Se produjo un movimiento en la fosa, como si algo estuviese arrastrándose por el fondo. Y entonces oí a la bruja, que empezaba a comerse el pastel.

Yo creía que algunos de mis hermanos hacían ruidos desagradables en la mesa, pero esto era mucho peor. Era un sonido aún más desagradable que el que hacían nuestros enormes cerdos peludos cuando metían el hocico en el cubo de comida: una mezcla de olisqueos, ronquidos y masticaciones, a la que se añadía el jadeo de una respiración dificultosa. No sé si a la bruja le gustaba el pastel o no, pero desde luego estaba haciendo mucho ruido para comérselo.

Esa noche me costó mucho conciliar el sueño, puesto que no dejaba de pensar en la oscura fosa y me angustiaba tener que volver allí a la noche siguiente.

Por poco llego tarde al desayuno. El beicon se había quemado y el pan estaba tirando a revenido. No podía entender cómo había sucedido, pues hacía sólo un día que yo mismo había comprado el pan en la panadería. Pero eso no era todo, sino que además la leche estaba agria. ¿Sería porque el boggart se había enfadado conmigo? ¿Sabría lo que yo había hecho? ¿Habría echado a perder el desayuno aposta, como si quisiera darme un aviso?

Yo estaba acostumbrado al duro trabajo de la granja, pero el Espectro no me había dejado encargada ninguna tarea, y como no tenía nada en que ocupar el día, subí a la biblioteca pensando que tal vez no le importaría que le cogiera algún libro que me resultase útil; me disgusté al ver que la puerta estaba cerrada con llave.

¿Qué otra cosa podía hacer, aparte de salir a dar un paseo? Decidí explorar las colinas rocosas y trepé primero a la Pica de Parlick. Cuando alcancé la cumbre, me senté encima del montón de piedras y admiré las vistas.

Hacía un día claro y brillante, y desde allí arriba lograba ver la extensión del condado a mis pies, con el mar a lo lejos, al noroeste, como una insinuante franja azul llena de destellos. Las montañas parecían extenderse hasta el infinito:

eran enormes, con nombres como monte Calder o monte de la Casa de Estaca. Había tantas que parecía que hacía falta una vida para recorrerlas.

Cerca de donde me encontraba estaba la Escarpa del Lobo, y me pregunté si de verdad habría lobos en la zona. Estos animales podían ser peligrosos, y se decía que cuando hacía mucho frío en invierno, a veces cazaban en manada. Bueno, ahora era primavera, y desde luego no vi ni rastro de ellos, pero eso no quería decir que no hubiese ninguno. Esa posibilidad me hizo caer en la cuenta de que debía de dar bastante miedo estar en los montes al caer la noche.

Pero estaba seguro de que no daría tanto miedo como tener que ir a llevarle a Madre Malkin otro pastel. Enseguida el sol empezó a ponerse por el oeste, y me vi obligado a bajar otra vez hacia Chipenden.

De nuevo me encontré cargando el cesto por las tinieblas del jardín, pero esta vez decidí acabar con el asunto rápidamente. Sin perder ni un minuto, dejé caer el segundo pastel pringoso al negro hueco de la fosa, entre los barrotes.

Cuando ya era demasiado tarde, en el mismo momento en que el pastel se desprendió de mis dedos, me percaté de algo que me encogió el corazón: las barras que tapaban la fosa habían sido dobladas. La noche anterior las trece varas paralelas de hierro estaban totalmente rectas, pero en ese momento las del centro tenían un espacio tan grande entre sí que habría cabido una cabeza por él.

Alguien podría haberlas doblado desde fuera, es decir, desde arriba, pero lo dudé. El Espectro me había contado que los jardines y la casa estaban vigilados y que no podía entrar nadie, aunque no me había dicho cómo ni quién los vigilaba, pero supuse que se trataría de algún tipo de boggart. Tal vez el mismo que preparaba la comida.

Había tenido que ser la bruja. De alguna manera debía de haber trepado por un lado de la fosa y se había puesto a tirar de los barrotes. De repente entendí lo que estaba pasando.

¡Qué estúpido había sido! Los pasteles le daban fuerzas.

La oí allá abajo, en medio de la oscuridad. Había empezado a comerse el segundo pastel masticando y resoplando de la misma manera horrible de la noche anterior. Salí del bosque a toda prisa y regresé a la casa. Me imaginaba que, seguramente, no iba a necesitar el tercer pastel.

Después de no dormir en toda la noche, decidí ir a ver a Alice, devolverle el último pastel y explicarle por qué no podía cumplir mi palabra.

Pero antes tenía que encontrarla. Nada más terminar el desayuno bajé al bosque donde la había visto por primera vez y lo recorrí hasta el extremo más alejado. Alice me había dicho que vivía «ahí detrás», pero por allí no se veía ninguna casa, sino sólo unas colinas bajas y unos valles, y a lo lejos, más bosques.

Pensando que tardaría menos en hallarla si preguntaba a alguien, bajé al pueblo. Sorprendentemente, había muy poca gente por la calle, pero como había imaginado, algunos de los muchachos mataban el tiempo cerca de la panadería. Parecía que era su sitio preferido. Tal vez les gustaba el olor a pan. Al menos, a mí me gustaba. El olor a pan recién hecho es uno de los mejores del mundo.

A pesar de que la última vez que nos habíamos visto les había dado un pastel y una manzana a cada uno, no fueron muy simpáticos conmigo. A lo mejor era porque esta vez estaba con ellos el grandullón de los ojitos redondos. No obstante, escucharon lo que quería decirles, aunque no entré en detalles. Sólo les comenté que necesitaba encontrar a la niña que habíamos visto donde empezaba el bosque.

—Sé dónde podría estar —repuso el grandullón mirándome con cara de malas pulgas—. Dijo que su tía era Lizzie *la Huesuda.*

—¿Quién es Lizzie *la Huesuda*?

Se miraron entre sí y movieron la cabeza como si estuviese loco. ¿Por qué todo el mundo parecía conocerla, menos yo?

—Lizzie y su abuela pasaron aquí un invierno entero, antes de que Gregory las echase. Mi padre siempre habla de ellas. Eran las brujas más horripilantes que se han visto por aquí y vivían con un ser que era igual de espeluznante que ellas. Era como un hombre, pero muy grande, y tenía tantos dientes que no le cabían en la boca. Eso es lo que me ha contado mi padre, y también me ha explicado que en aquella época, durante el largo invierno, la gente nunca salía de casa al caer la noche. ¡Menudo espectro vas a ser si nunca has oído hablar de Lizzie *la Huesuda*!

No me gustó el tono con que dijo esto último y me di cuenta de que había sido un tonto de remate. ¡Ojalá le hubiese contado al Espectro que había hablado con Alice! Así se habría enterado de que Lizzie había vuelto y habría hecho algo.

Según el padre del grandullón, Lizzie *la Huesuda* había vivido en una granja a unos cinco kilómetros al sudeste de la casa del Espectro. Esa granja estaba abandonada desde hacía años, y nadie se acercaba por allí. Seguramente, ahora la había elegido para alojarse. Además, coincidía con lo que yo sabía, ya que Alice había señalado en esa dirección.

En ese momento salió de la iglesia un grupo de personas con semblante adusto. Doblaron la esquina, en una fila más bien poco ordenada, y se encaminaron hacia las montañas con el cura del pueblo a la cabeza de la procesión. Llevaban ropa de abrigo y muchos de ellos se ayudaban con bastones para caminar.

—¿Qué hace esa gente? —pregunté.

—Anoche se perdió un niño —respondió uno de los muchachos, que escupió hacia los adoquines—. Un niño de tres años. Creen que se perdió en alguna de las colinas rocosas. Pero no es el primero, perdona que te diga, porque hace dos días desapareció un bebé de una granja de la Cuerda Larga. Era demasiado pequeño para saber andar, por lo que alguien debió de llevárselo. La gente opina que tal vez fueran los lobos. Hemos tenido un invierno muy malo, y a veces eso los empuja a volver por aquí.

Las indicaciones que me dieron resultaron bastante buenas, pues tardé menos de una hora en divisar la casa de Lizzie, incluido el tiempo que necesité para volver a casa a recoger el cesto de Alice.

Entonces, a plena luz del día, levanté la tela y examiné el tercer y último pastel. Olía mal, pero su aspecto era aún peor. Parecía que lo hubiesen hecho juntando pedacitos de carne y de pan, más otros elementos que no supe identificar; estaba húmedo y muy pringoso, y era casi negro. No habían cocido ninguno de los ingredientes, sino que los habían apelotonado sin más. Entonces me fijé en un detalle aún más horroroso: trepando por el pastel, había unas diminutas cosas blancas que parecían gusanos.

Me estremecí, lo volví a tapar con la tela y bajé a la granja abandonada. Parte de la valla estaba rota, al granero le faltaba medio tejado y no había ni rastro de animales.

Pero hubo algo más que me inquietó: de la chimenea de la granja salía una columna de humo. Eso quería decir que había alguien en la casa, y empecé a inquietarme al pensar en el ser que tenía tantos dientes que no le cabían en la boca.

¿Qué me había imaginado? La situación iba a ser complicada. ¿Cómo diantre conseguiría hablar con Alice sin que me vieran los demás miembros de su familia?

Me detuve en la pendiente para reflexionar sobre lo que debía hacer, pero alguien resolvió mis dudas. De la puerta trasera de la granja salió una figura delgada y negra que enfiló directamente hacia mí. Era Alice. ¿Cómo había sabido que yo estaba ahí? Entre el lugar donde me hallaba y la granja había árboles, y las ventanas estaban orientadas hacia el otro lado.

Sin embargo, la niña no subía por la pendiente por casualidad, sino que caminaba directa hacia mí, y cuando estuvo a unos cinco pasos, se detuvo.

—¿Qué quieres? —me preguntó siseando—. Eres tonto por venir aquí. Tienes suerte de que los de dentro estén dormidos.

—Es que no puedo hacer lo que me pediste —respondí, y le tendí el cesto.

Alice se cruzó de brazos y frunció el entrecejo.

—¿Por qué no? —preguntó—. Me lo prometiste, ¿verdad?

—No me dijiste qué pasaría —repliqué—. La bruja ya se ha comido dos pasteles y se está poniendo fuerte: ha doblado las barras que cubren la fosa. Un pastel más, y podrá escapar. Y creo que lo sabes. ¿No se trataba de eso? —la acusé empezando a enfadarme—. Como me has engañado, la promesa ya no vale.

Dio un paso hacia mí, pero otro sentimiento había sustituido su enfado: parecía asustada.

—No fue idea mía. Me obligaron —dijo haciendo un gesto en dirección a la granja—. Si no haces lo que me prometiste, los dos lo vamos a pasar muy mal. Anda, llévale el tercer pastel. ¿Qué daño puede hacer? Madre Malkin ha pagado el precio, y ya es hora de dejarla libre. Vamos, dale el pastel y verás cómo se marcha esta misma noche y nunca más volverá a ocasionarte problemas.

—Creo que el señor Gregory debió de tener buenos motivos para meterla en esa fosa —dije lentamente—. Yo soy su nuevo aprendiz, pero ¿cómo voy a saber lo que es mejor? Cuando vuelva, le contaré todo lo que ha pasado.

Alice esbozó una leve sonrisa, esa clase de sonrisa que se le escapa a la gente cuando saben algo que tú desconoces.

—No va a volver —afirmó—. Lizzie lo ha calculado todo. Mi tía Lizzie tiene unos buenos amigos cerca de Pendle que harían lo que fuera por ella, y han engañado al viejo Gregory. Cuando se ponga en camino, encontrará lo que le aguarda. A estas horas ya debe de estar muerto y enterrado a dos metros bajo tierra. Tú espera y verás como tengo razón. Dentro de nada no estarás a salvo ni siquiera en su casa, pues una noche irán a por ti. A no ser, claro está, que me ayudes. En ese caso, a lo mejor te dejan en paz.

Nada más decir eso, me di la vuelta y subí por la pendiente, dejándola allí plantada. Creo que me llamó varias veces, pero no la escuché. Mi cabeza no paraba de dar vueltas a lo que me había dicho sobre el Espectro.

Hasta un rato después no me di cuenta de que todavía llevaba el cesto, pero entonces lo tiré junto con el tercer pastel a un río. Una vez de regreso en la casa del Espectro, no tardé mucho en entender lo que había pasado y en decidir cuál sería mi próximo paso.

Todo aquello había estado planeado desde el primer momento. Habían embaucado al Espectro para que se marchase, a sabiendas de que yo, como aprendiz novato, estaba todavía muy verde y no les costaría nada engañarme.

No creía que fuese tan fácil matar al Espectro, pues de lo contrario no habría sobrevivido tantos años, pero no podía confiar en que volviese a tiempo para ayudarme. Tenía que impedir de alguna manera que Madre Malkin saliese de la fosa.

Necesitaba ayuda desesperadamente y se me ocurrió bajar al pueblo, pero pensé que tenía más a mano una clase especial de ayuda, así que entré en la cocina y me senté delante de la mesa.

Como calculé que de un momento a otro me llevaría una reprimenda, hablé a toda prisa y expliqué en voz alta lo que había sucedido, sin dejarme ningún detalle. Entonces admití que todo había sido culpa mía y pregunté si alguien me ayudaría.

No sé qué me había imaginado. Estaba tan disgustado y tan asustado que no me sentí estúpido al hablar a solas, pero a medida que se prolongaba el silencio, fui dándome cuenta de que había malgastado el tiempo. ¿Por qué razón iba a querer ayudarme el boggart? Por lo que sabía, estaba cautivo, apresado en la casa y en el jardín por obra del Espectro. A lo mejor sólo era un esclavo y estaba deseando liberarse. A lo mejor incluso se alegraba de verme metido en un lío.

En el momento en que estaba a punto de rendirme y de salir de la cocina, recordé lo que a veces decía mi padre antes de ir al mercado del pueblo: «Todos tenemos un precio. Sólo es cuestión de hacer una oferta interesante, pero que no te cause demasiados perjuicios».

Así pues, hice mi oferta al boggart...

—Si me ayudas ahora, no lo olvidaré —afirmé—. Cuando me convierta en el siguiente Espectro, te daré libre todos los domingos. Ese día yo mismo me prepararé la comida para que puedas descansar y hacer lo que te venga en gana.

De pronto sentí que algo me rozaba las piernas por debajo de la mesa. También oí un sonido, un leve ronroneo, y apareció un enorme gato anaranjado que fue caminando lentamente hacia la puerta.

Debía de haber estado todo el rato debajo de la mesa. Al menos, eso era lo que me decía el sentido común, pero también sabía que se trataba de otra cosa. Seguí al gato hasta el vestíbulo y subí tras él la escalera. Se detuvo delante de la puerta de la biblioteca, cerrada con llave, se frotó el lomo contra la puerta, como hacen los gatos con las patas de las mesas, y la puerta se abrió lentamente, y vi que allí había más libros de los que nadie habría podido leer en una vida entera, organizados perfectamente en hileras de anaqueles paralelos. Entré en la biblioteca, sin saber por dónde empezar. Y cuando me di la vuelta, el gato anaranjado había desaparecido.

Cada libro tenía su título claramente visible en la cubierta. Muchos de ellos estaban escritos en latín, y unos cuantos en griego. No había ni polvo ni telarañas. La biblioteca estaba igual de limpia y cuidada que la cocina.

Recorrí la primera fila hasta que algo me llamó la atención: cerca de la ventana había tres estantes muy largos llenos de libretas encuadernadas en cuero, iguales que la que me había dado el Espectro, el estante de arriba contenía libros de mayor tamaño, con fechas en el lomo; parecía que cada uno comprendía un período de cinco años. Cogí el que estaba en el final de la estantería y lo abrí con cuidado.

Reconocí la letra del Espectro. Hojeé las páginas y comprendí que era una especie de diario. En él estaban apuntados los encargos que mi maestro había hecho, el tiempo que había tardado en cada viaje y la suma que le habían pagado. Pero lo más importante de todo era que explicaba exactamente cómo había actuado con cada boggart, con cada fantasma y con cada bruja.

Dejé el libro en el estante y eché un vistazo a los otros lomos. Los diarios llegaban casi hasta la actualidad y se remontaban a cientos de años. O bien el Espectro era mucho mayor de lo que aparentaba, o bien los libros más antiguos habían sido escritos por otros espectros que habían vivido hacía siglos. De repente me pregunté si, aunque Alice tuviera razón y el Espectro no regresara, yo sería capaz de aprender lo que necesitaba saber con estudiar tan sólo esos diarios. Lo mejor era que en algún lugar de aquellas miles y miles de páginas podría estar la información que me ayudaría en esos momentos.

Mas ¿cómo la encontraría? Bueno, tal vez tardaría un buen rato, pero la bruja había pasado casi trece años en aquella fosa, de modo que tenía que haber una descripción de cómo el Espectro la había metido allí. Entonces, de repente, en uno de los estantes inferiores vi algo todavía mejor.

Contenía libros aún más grandes, cada uno dedicado a un tema en particular. Uno de ellos se titulaba *Dragones y gusanos*. Como estaban colocados por orden alfabético, no tardé mucho en encontrar el libro que estaba buscando.

Brujas.

Lo abrí con manos temblorosas y descubrí que estaba dividido en cuatro capítulos, como cabía esperar.

«Las malévolas», «Las benignas», «Las acusadas en falso» y «Las inconscientes».

Rápidamente, abrí por el primer capítulo. Estaba escrito con la esmerada letra del Espectro y, una vez más, cuidadosamente organizado por orden alfabético. En cuestión de unos segundos encontré una página titulada: «Madre Malkin».

Era peor de lo que había esperado. Madre Malkin era lo más malvado que os podáis imaginar. Había vivido en muchos sitios diferentes, y en cada zona en la que había residido habían pasado cosas terribles. La peor había tenido lugar en un paraje lleno de musgo, al oeste del condado.

En esa época vivía en una granja de la zona, y ofrecía habitaciones a las jóvenes que se habían quedado embarazadas, pero que no tenían un marido que las sostuviese. De ahí le venía el sobrenombre de «Madre». Esa situación duró muchos años, pero a algunas de las jóvenes no se las volvió a ver jamás.

La misma Madre Malkin tenía un hijo, que vivía con ella en la casa. Era un joven de una fuerza increíble que se llamaba Colmillo. Tenía unos dientes enormes y asustaba tanto a la gente que nadie osaba acercarse por allí. Pero al final los lugareños se rebelaron, y Madre Malkin se vio obligada a huir a Pendle. Cuando se hubo marchado de la granja, encontraron la primera tumba. Había un campo entero lleno de huesos y de carne putrefacta. La mayoría de los despojos eran los restos de los niños a los que había matado para saciar su necesidad de sangre. Otros eran los cadáveres de las jóvenes. Todos los cuerpos habían sido aplastados y tenían las costillas partidas y rotas.

Los muchachos del pueblo habían comentado algo sobre una criatura que tenía tantos dientes que no le cabían en la boca. ¿Acaso se trataba de Colmillo, el hijo de Madre Malkin, que tal vez había matado a aquellas mujeres aplastándolas hasta dejarlas sin vida?

Aquel pensamiento hizo que mis manos temblasen tanto que apenas pude sostener el libro para leerlo. Al parecer, algunas brujas recurrían a la «magia de los huesos». Eran nigrománticas que obtenían sus poderes invocando a los muertos. Pero Madre Malkin era aún peor: ella usaba «magia de sangre». Obtenía sus poderes usando sangre humana, y en especial le gustaba la sangre de los niños.

Recordé aquellos pasteles, negruzcos y pegajosos, y me entraron escalofríos. En la Cuerda Larga se había perdido un niño, un bebé tan pequeño que aún no sabía andar. ¿Se lo habría llevado Lizzie *la Huesuda*? ¿Habrían usado su sangre para preparar los pasteles? ¿Y qué decir del otro niño, ése que ahora estaba buscando la gente del pueblo? ¿Y si también se lo había llevado Lizzie *la Huesuda,* para que cuando Madre Malkin escapase de su fosa, usara la sangre del bebé para realizar magia? ¡Ese niño podría estar en esos momentos en casa de Lizzie!

Me esforcé en seguir leyendo.

Hacía trece años, a principios del invierno, Madre Malkin había llegado a Chipenden para instalarse, y la había acompañado su nieta, Lizzie *la Huesuda*. Pero cuando el Espectro regresó de su casa de invierno en Anglezarke, no esperó ni un minuto para encargarse de ella. Primero alejó a Lizzie y a continuación ató a Madre Malkin con una cadena de plata y se la llevó a la fosa del jardín.

En la crónica del diario daba la sensación de que el Espectro se debatía consigo mismo. Era evidente que no le gustaba enterrarla viva, pero daba las razones por las que había que hacerlo. Consideraba que era demasiado peligroso matarla, pues una vez muerta, tendría suficiente poder para regresar y sería aún más fuerte y más peligrosa que antes.

La cuestión era saber si, en estos momentos, Madre Malkin todavía tenía la posibilidad de escaparse. Después de haber comido un pastel, había sido capaz de doblar los barrotes, y aunque no iba a probar el tercer pastelillo, tal vez con dos de éstos había tenido bastante, y a medianoche se escaparía de la fosa. ¿Qué podía hacer yo?

Si se había podido atar a una bruja con una cadena de plata, a lo mejor merecía la pena intentar atar con una de ellas las barras dobladas para impedir que saliese de la fosa. Lo malo era que la cadena de plata estaba en el bolso del Espectro, y siempre la llevaba consigo cuando viajaba.

Cuando iba a salir de la biblioteca, me fijé en un pequeño detalle que, como estaba detrás de la puerta, no había visto al entrar. Era una larga lista de nombres, escrita en un papel amarillo. Había exactamente treinta, y todos estaban escritos a mano por el Espectro. El último era el mío: Thomas J. Ward. Y el anterior, el de William Bradley, que estaba tachado con una raya horizontal. Junto a ese nombre estaban escritas las letras RIP.

Me quedé helado porque sabía que esas letras eran las siglas de «Requiescat in pace», o sea, descanse en paz, y por lo tanto que Billy Bradley había muerto. Más de dos tercios de los nombres del papel habían sido tachados con una raya. De ellos, otros nueve habían fallecido.

Supuse que muchos nombres habían sido tachados simplemente porque no habían podido superar con éxito el curso de aprendiz, o tal vez algunos chicos ni siquiera habían terminado el primer mes de prueba. Los que más me preocupaban eran los que habían muerto. ¿Qué le habría pasado a Billy Bradley? Recordé entonces lo que había dicho Alice: «No querrás acabar como el último aprendiz del viejo Gregory».

¿Cómo sabía Alice lo que le había pasado a Billy? Probablemente era porque todos los del pueblo estaban enterados, mientras que yo era un recién llegado. ¿O habría tenido algo que ver con la familia de Alice? Esperaba que no, pero no dejaba de ser otro tema inquietante.

Sin perder más tiempo, bajé al pueblo. Por lo visto, el carnicero se mantenía de algún modo en contacto con el Espectro. ¿Cómo, si no, conseguía tener el saco en el que metía la carne? Así pues, decidí hablarle de mis sospechas e intentar convencerlo para registrar la casa de Lizzie en busca del niño desaparecido.

Llegué a su establecimiento a última hora de la tarde, pero la tienda estaba cerrada. Tuve que llamar a la puerta de cinco casas para que alguien saliera a ver qué quería. Y me confirmaron lo que ya suponía: el carnicero había ido con los demás hombres a buscar por las montañas y no regresarían hasta el mediodía del día siguiente. Al parecer, después de explorar por los montes más próximos, cruzarían el valle en dirección al pueblo que había al pie de la Cuerda Larga, donde había desaparecido el primer niño. Allí llevarían a cabo una búsqueda más exhaustiva y pasarían la noche.

Tenía que admitirlo: estaba solo.

Al poco rato, triste y asustado a la vez, subía por el sendero para regresar a casa del Espectro. Sabía que si Madre Malkin escapaba de su fosa, el niño moriría antes del alba.

Y también sabía que el único que, al menos, podía intentar hacer algo era yo.

Capítulo 9
En la ribera del río

Cuando volví a la casa, entré en la habitación donde el Espectro guardaba la ropa de viaje y escogí una de las capas viejas. Por supuesto, me quedaba enorme. Los bajos me llegaban casi hasta los tobillos y la capucha me caía sobre los ojos una y otra vez. Aun así, me mantendría bastante abrigado. Cogí prestado también uno de los cayados de mi maestro, el que mejor me ayudase a caminar: era uno más corto que los demás y ligeramente más grueso en uno de los extremos.

Cuando por fin salí de la casa, era casi medianoche. El cielo estaba estrellado y la luna llena empezaba a asomar por encima de los árboles, pero percibía el olor a lluvia, y el viento del oeste refrescaba la noche.

Caminé por el jardín y me dirigí a la fosa de Madre Malkin. Tenía miedo, pero alguien tenía que hacerlo y ¿quién si no yo? Además, todo era culpa mía. ¡Ojalá le hubiese contado al Espectro que había conocido a Alice y que ella les había dicho a los chicos que Lizzie había vuelto! Entonces él lo habría arreglado todo, y no lo habrían embaucado para que se marchase a Pendle.

Cuantas más vueltas le daba a la situación, peor lo veía todo. Tal vez el niño de la Cuerda Larga no habría muerto. Me sentía culpable, terriblemente culpable, y no soportaba la mera idea de que otro niño pudiese morir y que también fuera culpa mía.

Pasé por delante de la segunda tumba, donde estaba enterrada cabeza abajo la bruja muerta, y avancé muy despacio, de puntillas, hasta llegar a la fosa.

Entre los árboles se colaba un haz de luz de luna que iluminaba la zona, por lo que no me cupo duda sobre lo que había ocurrido.

No llegaba a tiempo.

La bruja había separado aún más los barrotes hasta formar casi un círculo. El mismo carnicero habría podido sacar por ese hueco sus inmensos hombros.

Escudriñé el negro fondo de la fosa, pero era imposible ver nada. Supongo que me agarraba a la esperanza de que tal vez Madre Malkin se había agotado al doblar las barras y ahora estaba demasiado cansada para escapar.

¡Menuda tontería! En ese momento una nube cruzó por delante de la luna y lo oscureció todo, pero todavía distinguía los barrotes doblados y la dirección en la que la bruja había escapado. Había luz suficiente para seguirle el rastro.

Así pues, fui tras ella en medio de la oscuridad. No quería ir deprisa y caminé con muchísima cautela porque ¿y si estaba escondida esperándome un poco más adelante? También suponía que, probablemente, no habría ido muy lejos, puesto que sólo habían pasado unos cinco minutos desde la medianoche. Fuera lo que fuese lo que había en los pasteles que había comido Madre Malkin, estaba seguro de que la magia negra había tenido algo que ver en la recuperación de las fuerzas de la bruja, pues se suponía que era una clase de magia que resultaba más poderosa durante las horas de oscuridad, sobre todo a medianoche. Como la bruja solamente había comido dos pasteles, en vez de tres, eso iba a mi favor, pero pensé en la fuerza descomunal que hacía falta para doblar aquellos barrotes.

En cuanto salí del bosque, me resultó fácil seguir su rastro por la hierba. Descendía por la colina, pero en una dirección que la apartaba de la casa de Lizzie *la Huesuda*. Eso me desconcertó al principio, hasta que recordé que el río discurría por la vaguada. Una bruja malévola no podía cruzar el cauce de un río (eso me lo había enseñado el Espectro), por lo que tendría que recorrer la ribera hasta que el cauce dibujase una curva, dejándole así vía libre.

Nada más divisar el río, me detuve un instante en la ladera y examiné el trecho de tierra de allá abajo. Entonces la luna salió de detrás de la nube, pero ni siquiera con su ayuda conseguí ver el río porque en ambas orillas había árboles que tapaban el terreno con su sombra.

Y entonces, de repente, me fijé en algo muy extraño: en la orilla más próxima había un rastro plateado que sólo era visible donde la luna lo iluminaba, pero era exactamente igual que el brillante rastro que dejan los caracoles. A los pocos segundos vi una cosa oscura, encorvada, que se arrastraba muy cerca de la ribera.

Reanudé la bajada lo más deprisa que pude. Mi intención era cortarle el paso antes de que llegase a la curva del río, para impedirle seguir su camino hacia la casa de Lizzie *la Huesuda*. Lo conseguí y la esperé allí, con el agua a mi derecha, mirando río abajo. Pero a continuación venía la parte más difícil: me tocaba enfrentarme a la bruja.

Yo estaba temblando de pies a cabeza y me costaba tanto respirar que habríais pensado que llevaba cerca de una hora subiendo y bajando las montañas a todo correr. Era una mezcla de miedo y de nerviosismo, y sentía que las rodillas se me iban a doblar de un momento a otro. Sólo logré mantenerme en pie gracias a que me apoyé con todo el peso de mi cuerpo en el cayado del Espectro.

En comparación con otros ríos, éste no era muy ancho, pero era profundo, y las lluvias de primavera lo habían hecho crecer tanto que casi rebosaba las orillas. Además, el agua bajaba con mucha rapidez, precipitándose desde donde me encontraba en dirección a la oscuridad que había debajo de los árboles, que era donde se hallaba la bruja. Observé con atención, pero todavía tardé un rato en descubrirla.

Madre Malkin avanzaba hacia mí. Era como una sombra, un poco más oscura que las de los árboles, una especie de negrura en la que podías caerte, una negrura que te tragaría para siempre. Entonces, a pesar del ruido que hacían las rápidas aguas del río, la oí, pero no sólo era el sonido de sus pies descalzos, que producían una especie de fricción al acercarse a mí por entre la crecida hierba de la orilla, sino que también oía otros sonidos que la bruja hacía con la boca o tal vez con la nariz. El mismo tipo de ruidos que había hecho cuando le había dado el pastel. Eran resoplidos y ronquidos que una vez más me trajeron a la mente el recuerdo de nuestros cerdos peludos cuando comían del cubo de mondas. En ese momento, percibí un sonido diferente, como si ella estuviese succionando algo.

Cuando Madre Malkin salió de debajo de los árboles, la luz de la luna la iluminó, y la vi bien por primera vez. La bruja mantenía la cabeza muy agachada y tenía la cara tapada por una mata de pelo blanco y gris, de tal manera que parecía que se estaba mirando los pies, los cuales apenas asomaban por debajo del vestido negro que le llegaba hasta los tobillos. También llevaba puesta una capa negra, que o bien era demasiado larga para ella, o bien la bruja se había encogido después de tantos años de vivir en el húmedo hoyo. Arrastraba la capa por detrás, y al parecer, eso era lo que iba dejando el rastro plateado.

El vestido estaba manchado y raído, lo cual no era de extrañar. Sin embargo, algunas manchas —unos oscuros y húmedos manchurrones— eran recientes. Algo goteaba sobre la hierba por uno de los costados de Madre Malkin, y las gotas procedían de lo que llevaba sujeto con fuerza en la mano izquierda.

Era una rata. Se estaba comiendo una rata. ¡Y se la estaba comiendo cruda!

Parecía que no me había visto aún. Ahora estaba muy cerca y, si nada lo remediaba, chocaría conmigo. De repente tosí, pero no lo hice para avisarla. Fue una tos nerviosa, y no había sido mi intención que se me escapara.

Entonces alzó la vista hacia mí, levantando hacia la luz de la luna un rostro que parecía sacado de una pesadilla, un rostro que no correspondía al de una persona viva. ¡Oh, pero la bruja estaba vivita y coleando! Se podía deducir de los ruidos que hacía al comerse la rata.

Había otra particularidad en ella que me aterró tanto que estuve a punto de desmayarme allí mismo: los ojos, que eran como dos brasas encendidas dentro de sus cuencas, dos puntos rojos de fuego.

A continuación habló. Su voz era una mezcla de susurro y de graznido que sonaba igual que la hojarasca seca que se arremolina por efecto de un vendaval de finales de otoño.

—Es un niño —dijo—. Me gustan los niños. Ven aquí, niño.

Por supuesto, no me moví. Me quedé quieto donde estaba, clavado. Me sentía mareado y aturdido.

Continuaba avanzando hacia mí, y era como si los ojos se le estuviesen haciendo más grandes, pero no sólo eran los ojos, sino que parecía que todo el cuerpo se le hinchaba. Madre Malkin se estaba expandiendo de tal manera que se convertiría en una inmensa nube negra que, en cuestión de unos segundos, oscurecería mis ojos para siempre.

Sin pensar en nada, levanté el cayado del Espectro. Bueno, lo hicieron mis manos y mis brazos, no yo.

—¿Qué es eso, niño? ¿Una varita? —graznó. Entonces

rió para sí entre dientes y, dejando caer la rata muerta, alzó los dos brazos hacia mí.

¡Era a mí a quien quería! ¡Quería mi sangre! Presa del terror más absoluto, mi cuerpo empezó a mecerse de un lado a otro. Era como un retoño agitado por las primeras ráfagas de viento, durante el primer vendaval de un tenebroso invierno que no acababa nunca.

Yo podría haber muerto en ese momento, allí, en la ribera del río. No había nadie que pudiera socorrerme, y me sentí incapaz de ayudarme a mí mismo.

Pero de repente ocurrió...

El cayado del Espectro no era una varita, pero lo cierto es que existe más de un tipo de magia. De manera que mis brazos conjuraron algo extraordinario y se movieron más deprisa de lo que habría imaginado jamás. Levantaron el cayado, lo bajaron con mucha fuerza y le propinaron a la bruja un golpe terrible en un lado de la cabeza.

Madre Malkin emitió una especie de gruñido y cayó de costado al río. Hizo mucho ruido al caer y se hundió al instante, pero emergió muy cerca de la orilla, a unos cinco o seis pasos río abajo. Al principio pensé que había acabado con ella pero, para mi espanto, sacó el brazo izquierdo y se agarró a una mata de hierba. Entonces con el otro brazo alcanzó la orilla y empezó a arrastrarse para salir del agua.

Yo sabía que tenía que hacer algo lo más rápidamente posible. Así que, recurriendo a toda mi fuerza de voluntad, me esforcé en dar un paso hacia la bruja, mientras ella tiraba de su cuerpo para salir a la orilla.

Cuando estuve lo bastante cerca, hice algo que todavía recuerdo como si fuese ayer y que aún me produce pesadillas. Pero ¿qué otra cosa podía hacer? O ella o yo. Sólo uno de nosotros sobreviviría.

Así pues, la empujé con el extremo del cayado. La empujé con fuerza y seguí empujándola hasta que al final se soltó de la orilla, y el río se la llevó a las tinieblas.

Pero no terminó ahí la cosa. ¿Y si Madre Malkin conseguía salir del agua un poco más abajo? A lo mejor sería capaz de llegar a casa de Lizzie *la Huesuda*. Tenía que cerciorarme de que eso no ocurriría. No obstante, yo era consciente de que matarla sería un error porque algún día Madre Malkin podría volver más fuerte que nunca, pero como no disponía de una cadena de plata, me era imposible atarla. Sin embargo, no era el futuro lo que importaba, sino el momento presente, y por muy difícil que fuese, sabía que tenía que bajar por el río, entre los árboles.

Empecé a caminar con mucha lentitud por la ribera, deteniéndome cada cinco o seis pasos para escuchar, aunque lo único que oía era el viento que susurraba levemente entre las ramas. Estaba muy oscuro. Sólo de vez en cuando algún fino rayo de luz de luna lograba penetrar en el follaje; cada haz de luz era como una larga lanza de plata clavada en la tierra.

La tercera vez que me detuve, ocurrió. No hubo aviso previo ni oí nada. Sencillamente, la noté. Una mano me subió por la bota izquierda y, antes de que pudiera apartar la pierna, la mano se asió con fuerza a mi tobillo.

Noté la fuerza con que se agarraba: era como si me estuviese aplastando el tobillo. Entonces dirigí la vista hacia abajo, y lo único que vi fue un par de ojos rojos que me miraban en medio de la oscuridad. Aterrado, empecé a dar golpes con el cayado, a ciegas, hacia la mano invisible que me apresaba el tobillo.

No había remedio. Tiró del tobillo con violencia, y me caí al suelo. El golpe fue tan fuerte que me quedé sin aliento. Y lo que fue aún peor: el cayado salió disparado y me dejó indefenso.

Me quedé allí tendido durante un minuto o dos, intentando recobrar la respiración, hasta que me arrastraron hacia la orilla del río. Cuando oí el ruido del agua, me di cuenta de lo que estaba pasando: Madre Malkin estaba tratando de salir del agua agarrándose a mí mientras sacudía las piernas. Estaba convencido de que pasaría una de dos: o bien la bruja conseguía salir o bien yo acabaría en el agua con ella.

Desesperado, rodé hacia la izquierda retorciéndome el tobillo, pero ella seguía firmemente sujeta a mí. Volví a rodar y me detuve con la cara pegada a la húmeda tierra. Entonces vi el cayado, cuyo extremo más grueso estaba iluminado por un rayo de luz de luna. Sin embargo, estaba lejos de mi alcance, a unos tres o cuatro pasos de distancia.

Rodé hacia él una y otra vez arañando la mullida tierra con los dedos y retorciendo mi cuerpo como si fuese un sacacorchos. Madre Malkin se agarraba con fuerza a mi tobillo, pero eso era lo único que había conseguido, pues la parte inferior del cuerpo de la bruja seguía metida en el agua. A pesar de su inmensa fuerza, no podía impedir que yo diese vueltas por la tierra y a la vez la hiciera retorcerse en el agua detrás de mí.

Al fin alcancé el cayado y lo moví con fuerza en dirección a la bruja, pero ella levantó la mano hacia la luz de la luna y lo sujetó por el otro extremo.

Pensé que era el fin. Pensé que estaba acabado. Pero, para mi sorpresa, de repente Madre Malkin lanzó un alarido. El cuerpo se le quedó rígido y puso los ojos en blanco. Luego dio un prolongado y profundo suspiro y se quedó muy quieta.

Permanecimos los dos tumbados en la orilla del río durante un rato que me pareció larguísimo. Sólo mi pecho subía y bajaba al respirar, pero Madre Malkin no se movía en absoluto. Cuando finalmente lo hizo, no fue para tomar aliento. Muy despacio, una mano liberó mi tobillo y la otra soltó el cayado, y ella se deslizó por la orilla hacia el río y se zambulló en el agua con un fuerte estruendo. Yo no sabía lo que había pasado, pero la bruja estaba muerta. De eso estaba seguro.

Contemplé cómo la corriente se llevaba el cuerpo desde la orilla y lo hacía girar en medio del agua. Todavía iluminada por la luna, se hundió la cabeza de Madre Malkin. Había desaparecido. Había muerto y había desaparecido.

Capítulo 10
Pobre Billy

Después de aquel suceso me quedé tan débil que caí de hinojos y al instante empecé a vomitar. Nunca me había encontrado tan mal en toda mi vida. Seguían dándome arcadas cuando ya no me salía nada más que bilis por la boca, y sentía las entrañas desgarradas y retorcidas.

Al final se me pasó y me puse en pie como pude. Pero aún tardé mucho rato en calmar mi respiración y en dejar de temblar de la cabeza a los pies. Sólo quería volver a casa del Espectro. Ya había hecho bastante por una noche, ¿no os parece?

Pero no podía abandonar porque el niño estaba en casa de Lizzie. Eso era lo que me decía el instinto: el niño era el cautivo de una bruja capaz de cometer un asesinato. No me quedaba otra opción. No había nadie más que yo, y si no acudía en su ayuda, ¿quién lo haría? Tenía que ir a casa de Lizzie *la Huesuda*.

Hacia el oeste se estaba formando una tormenta, una abultada franja de nubarrones negros que engullía las estrellas. Dentro de poco empezaría a llover, pero cuando inicié el camino de bajada hacia la casa, la luna seguía luciendo. No recordaba haber visto nunca una luna llena tan grande.

Mientras avanzaba, veía mi sombra alargada delante de mí. Observé cómo iba creciendo, y cuanto más me acercaba a la casa, más grande parecía, pero como llevaba puesta la capucha y sujetaba el cayado del Espectro con la mano izquierda, no parecía mi propia sombra. Seguía moviéndose delante de mí y al final se proyectó sobre la casa de Lizzie *la Huesuda*.

En ese momento miré hacia atrás, con la remota esperanza de ver al Espectro detrás de mí. Pero no había nadie; tan sólo era un efecto de la luz. Seguí caminando hasta que hube atravesado la cancela abierta del patio.

Me detuve a reflexionar delante de la puerta de entrada. ¿Y si no llegaba a tiempo, y el niño había muerto ya? ¿O qué pasaría si su desaparición no tenía nada que ver con Lizzie, y yo me estaba jugando el cuello para nada? Mi mente no paraba de dar vueltas, pero igual que había ocurrido en la ribera del río, mi cuerpo sabía lo que tenía que hacer. Y antes de que pudiera detenerla, mi mano izquierda golpeó tres veces en la puerta con el cayado.

Durante unos minutos sólo hubo silencio, pero después se oyó el sonido de unas pisadas. De repente vi luz por la rendija de la puerta.

Cuando se abrió, lentamente, di un paso hacia atrás. ¡Era Alice, menos mal! Aguantaba un farolillo a la altura de la cabeza, de forma que tenía la mitad del rostro iluminada y la otra mitad sumida en la oscuridad.

—¿Qué quieres? —preguntó en tono de disgusto.

—Ya sabes lo que quiero —repliqué—. He venido a por el niño. A por el niño que habéis raptado.

—No seas estúpido —siseó—. Márchate antes de que no haya solución. Han salido a ver a Madre Malkin y podrían volver en cualquier momento.

De repente un niño empezó a llorar: era un llanto débil que procedía de algún rincón de la casa. Aparté a Alice y entré.

Sólo había una vela titilante para dar luz en el estrecho

pasillo, y las habitaciones propiamente dichas estaban a oscuras. Era una vela poco corriente. Nunca había visto una de cera negra, pero de todos modos la cogí y me dejé guiar por lo que percibían mis oídos.

Llegué a la habitación de la que salía el llanto y abrí la puerta: no había ni un mueble, y el niño estaba tendido en el suelo, encima de un montón de paja y de harapos.

—¿Cómo te llamas? —pregunté, haciendo esfuerzos por sonreír. Apoyé el cayado en la pared y me acerqué.

El niño dejó de llorar y se puso en pie, tambaleándose y con los ojos abiertos como platos.

—No te preocupes. No tienes nada de qué asustarte —le dije intentando que mi voz sonase lo más tranquilizadora posible—. Voy a llevarte a casa con tu mamá.

Dejé la vela en el suelo y cogí al niño en brazos. Olía igual de mal que el resto de la habitación, y estaba frío y húmedo. Lo tumbé sobre mi brazo derecho y lo envolví en mi capa lo mejor que pude.

De pronto el niño habló.

—Me llamo Tommy —dijo—. Me llamo Tommy.

—Muy bien, Tommy —repuse—, yo también me llamo Tommy. Ahora estás a salvo. Vamos a casa.

Tras esas palabras, recogí el cayado, salí al pasillo y crucé la puerta de entrada. Alice estaba en el patio, cerca de la cancela. El farolillo se había apagado, pero la luna seguía brillando y, al avanzar hacia la niña, su luz proyectó mi sombra sobre un lado del granero; una sombra gigante, diez veces más grande que yo.

Intenté pasar por delante de Alice, pero ella se interpuso en mi camino y me vi obligado a detenerme.

—¡No te metas en esto! —me advirtió. La voz le sonaba casi como un rugido y le brillaban los dientes, blancos y afilados, a la luz de la luna—. No es asunto tuyo.

No estaba de humor para perder el tiempo discutiendo, y

cuando avancé directamente hacia ella, no intentó detenerme. Se hizo a un lado para dejarme pasar y dijo a mi espalda:

—Eres un idiota. Devuelve el niño antes de que sea demasiado tarde. Irán a buscarte. Nunca escaparás.

No me molesté en contestar y ni siquiera miré hacia atrás. Crucé la cancela y empecé a subir por la colina.

Entonces se puso a llover con intensidad, y la lluvia me caía directamente en la cara. Era esa clase de lluvia que mi padre solía denominar «lluvia mojada». Por supuesto, toda la lluvia moja, pero parece que cierta forma de llover consigue calarte mejor y más deprisa. Esa lluvia era bien mojada, de manera que enfilé hacia la casa del Espectro lo más deprisa que pude.

Ni siquiera tenía la seguridad de que allí estaría a salvo. ¿Y si de verdad el Espectro había muerto? ¿Seguiría el boggart guardando la casa y el jardín?

Pero al poco tiempo tuve asuntos más importantes de los que preocuparme, pues empecé a notar que alguien me estaba siguiendo. La primera vez que me di cuenta, me detuve y agucé el oído, pero no se oía nada aparte del ulular del viento y de la lluvia que azotaba los árboles y la tierra. Tampoco podía ver gran cosa porque ahora todo estaba muy oscuro.

Así pues, proseguí la marcha, dando pasos aún más largos, con la esperanza de no haberme desviado de mi camino. En un momento dado me topé con un seto de brezo, tupido y alto, y tuve que dar un rodeo hasta que encontré un paso. Todo el rato sentía que el peligro que notaba detrás de mí se iba acercando cada vez más. Y cuando hube atravesado un bosquecillo, tuve la certeza de que había alguien que me seguía. Trepé por una loma y me detuve cerca de la cima para recuperar el aliento. La lluvia había amainado desde hacía unos minutos, me di la vuelta para mirar entre la oscuridad, hacia los árboles, y entonces oí el chasquido de unas ramitas al partirse. Alguien estaba atravesando el bosque muy deprisa hacia donde me encontraba, sin importarle dónde pisaba.

Al llegar a la cresta de la loma, eché la vista atrás otra vez. El primer relámpago iluminó el cielo y el paisaje de allá abajo, y vi dos figuras que salían del bosque y empezaban a subir por la ladera. Una de ellas era una mujer, la otra tenía forma de hombre, grande y fornido.

Cuando el trueno descargó, Tommy se echó a llorar.

—¡No me gustan los truenos! —gimió—. ¡No me gustan los truenos!

—Las tormentas no pueden hacerte ningún daño, Tommy —le dije, sabiendo que no era cierto. A mí también me asustaban. Uno de mis tíos había sido alcanzado por un rayo mientras trataba de guardar unas vacas, y había muerto poco después. Era peligroso estar a cielo abierto como nosotros estábamos en ese momento. Pero, aunque los rayos me aterraban, también podían sernos útiles porque me mostraban el camino, y cada resplandor de los relámpagos iluminaba la senda que me conduciría a la casa del Espectro.

Al poco tiempo mi respiración también se tornó un gemido en mi garganta, una mezcla de miedo y agotamiento, mientras me obligaba a mí mismo a caminar cada vez más deprisa, con la mera esperanza de que estaríamos a salvo en cuanto entrásemos en el jardín de mi maestro. Nadie podía entrar en su finca a no ser que fuese invitado. Me repetía esta idea para mis adentros una y otra vez porque era nuestra única oportunidad de salvarnos. Si llegábamos antes que ellos, el boggart nos protegería.

Divisé los árboles de la casa y el banco debajo de ellos. El jardín nos esperaba justo detrás. De repente resbalé en la hierba mojada. No nos hicimos daño, pero Tommy empezó a llorar aún más fuerte. Cuando conseguí levantarlo de nuevo, oí que alguien venía corriendo detrás de mí, con unas pisadas que retumbaban en la tierra.

Eché un vistazo hacia atrás, haciendo esfuerzos por recuperar el aliento. Fue un error. Mi perseguidor estaba a unos cinco o seis pasos por delante de Lizzie, y estaba a punto de atraparme. Se produjo otro relámpago y conseguí verle la mitad inferior del rostro: era como si tuviera cuernos que le salían a ambos lados de la boca, y corría bamboleando la cabeza. Recordé lo que había leído en la biblioteca del Espectro acerca de las mujeres muertas que habían encontrado con las costillas aplastadas... Si me cogía, Colmillo haría lo mismo conmigo.

Me quedé clavado al suelo durante un instante, pero el hombre empezó a mugir como un toro, y eso me incitó a seguir adelante casi corriendo. Si hubiera podido, habría salido disparado, pero llevaba en brazos a Tommy y estaba demasiado agotado, me pesaban las piernas y me costaba respirar. Me imaginé que en cualquier momento Colmillo me agarraría por detrás, pasé por delante del banco en el que el Espectro solía darme las clases y, por fin, llegué a los primeros árboles del jardín.

Pero ¿estaba a salvo? Si la respuesta era negativa, el niño y yo estaríamos acabados, porque de ningún modo podría impedir que Colmillo se abalanzase sobre nosotros antes de llegar a la casa. Dejé de correr y sólo conseguí dar unos pasitos antes de detenerme del todo, intentando recuperar el aliento.

Fue en ese momento cuando advertí que algo me rozaba las piernas. Miré hacia el suelo, pero estaba demasiado oscuro para ver nada. Primero noté la presión, luego oí un ronroneo, un sonido grave y atronador que hacía vibrar el suelo bajo mis pies. También noté que avanzaba delante de mí, en dirección al lindero de los árboles, y que se colocaba entre nosotros y los que nos venían siguiendo. Ya no se oía correr a nadie, pero sí escuché algo diferente.

Imaginaos el bufido furibundo de un gato macho multiplicado por cien. Era una mezcla de gruñido atronador y de alarido, que llenó el aire con un mensaje de advertencia desafiante, un sonido que habría podido oírse a kilómetros de distancia. Era el más aterrador y amenazador que había escuchado en mi vida, y entonces comprendí por qué los habitantes del pueblo no se acercaban nunca a la casa del Espectro. Aquel grito estaba cargado de muerte y quería decir: «Cruzad esta línea, y os arrancaré el corazón. Cruzad esta línea, y os destrozaré los huesos hasta dejarlos hechos papilla. Cruzad esta línea, y desearéis no haber nacido».

Así pues, de momento estábamos a salvo. Lizzie *la Huesuda* y Colmillo debían de estar bajando la colina a todo correr. Nadie sería tan estúpido para querer vérselas con el boggart del Espectro. No me extrañaba nada que me hubiesen necesitado a mí para darle los pasteles de sangre a Madre Malkin.

En la cocina nos esperaba una olla de sopa caliente y un fuego encendido. Envolví al pequeño Tommy con una manta gruesa y le di de comer un poco de sopa. Después bajé un par de almohadas y le preparé una cama cerca del fuego. Durmió como un tronco, mientras yo escuchaba cómo ululaba el viento y la lluvia golpeaba los cristales.

Fue una noche muy larga, pero entré en calor y me sentí a gusto y en paz en casa del Espectro, que era uno de los sitios más seguros del mundo. Ahora estaba convencido de que jamás podría entrar nada indeseado en el jardín y, mucho menos, cruzar el umbral. Allí estaba más a salvo que en un castillo de altas murallas y ancho foso. A partir de entonces consideré al boggart como mi amigo, un amigo de lo más poderoso.

Antes del mediodía llevé a Tommy al pueblo. Los hombres ya habían vuelto de la Cuerda Larga, y cuando entré en casa del carnicero, el abatido semblante del hombre se transformó y se iluminó con una amplia sonrisa en cuanto vio al niño. Le expliqué brevemente lo que había ocurrido, contándole sólo los detalles imprescindibles.

Cuando hube terminado el relato, el carnicero volvió a adoptar una expresión de abatimiento.

—Hay que darles un escarmiento de una vez por todas —sentenció.

No me quedé mucho rato. Después de entregar a Tommy a su madre y de que ella me diese las gracias por decimoquinta vez, vi claramente lo que iba a pasar. A esas alturas ya se habían congregado unos treinta hombres del pueblo. Algunos llevaban garrotes y recias varas, y hablaban en murmullos, enojados, diciendo palabras como «apedrear y quemar».

Era evidente que había que hacer algo, pero yo no quería tomar parte en ninguna acción. A pesar de lo que había ocurrido, no podía soportar la idea de que hiciesen daño a Alice, así que me fui a dar un paseo por las colinas rocosas, durante una hora aproximadamente, para aclarar mis ideas. Después regresé a casa del Espectro caminando con parsimonia. Había decidido sentarme un rato en el banco a disfrutar del sol de la tarde, pero me encontré con que había alguien esperándome.

Era el Espectro. ¡Después de todo, estaba vivo! Hasta entonces había evitado pensar en lo que iba a hacer yo. Es decir, ¿hasta cuándo me habría quedado en casa de mi maestro, antes de convencerme de que no iba a regresar nunca? Pero ahora todo estaba arreglado, porque allí estaba él mirando más allá de los árboles, hacia un penacho de humo pardo que se elevaba al cielo... Estaban quemando la casa de Lizzie *la Huesuda*.

Cuando me aproximé al banco, me fijé en que el Espectro tenía un enorme cardenal de color morado en el ojo izquierdo. Se dio cuenta de que lo estaba observando y me dedicó una sonrisa cansina.

—Nos ganamos numerosos enemigos con este oficio —dijo—, y a veces necesitas tener ojos en el cogote. A pesar de todo, las cosas no salieron demasiado mal, pues ahora tenemos un enemigo menos del que preocuparnos en la zona de Pendle. Toma asiento —me invitó, dando unas palmaditas en el banco, a su lado—. ¿Qué has estado haciendo estos días? Cuéntame, ¿qué hay de nuevo por aquí? Empieza por el principio y acaba por el final, sin comerte nada.

Y eso hice. Se lo conté todo. Cuando hube terminado, se puso en pie y me miró clavando sus ojos verdes en los míos.

—¡Ojalá hubiera sabido que Lizzie había vuelto! Cuando metí a Madre Malkin en la fosa, Lizzie se marchó un tanto apresuradamente, y no pensé que tuviera agallas para asomar la jeta otra vez. Deberías haberme dicho que habías conocido a esa niña porque se habría ahorrado muchos disgustos a todo el mundo. —Bajé la vista, incapaz de mirarle a los ojos—. ¿Qué ha sido lo peor que ha ocurrido? —me preguntó.

Me vino a la memoria el recuerdo, claro e imborrable, de la vieja bruja agarrándome la bota para intentar salir del agua, y me acordé también del grito que ella había dado mientras sujetaba el extremo del cayado del Espectro.

Cuando se lo dije, suspiró hondo.

—¿Estás seguro de que ha muerto? —preguntó.

—No respiraba —dije encogiéndome de hombros—. Y su cuerpo fue arrastrado hasta el centro del río, y las aguas se lo llevaron.

—Bueno, ha sido un mal trago, es cierto —afirmó—, y su recuerdo te acompañará el resto de tu existencia, pero tienes que aprender a vivir con él. Tuviste suerte al escoger el cayado más pequeño, porque es lo que al final te salvó. Ese cayado está hecho de serbal, que es la madera más eficaz de todas cuando se trata de pelear con brujas. En general, vencerte habría sido pan comido para una bruja tan vieja y tan fuerte como ella, pero estaba metida en el río. Te repito que tuviste suerte. De todos modos, lo has hecho muy bien para ser un aprendiz novato. Has demostrado valor, valor de verdad, y has salvado la vida de un niño. Pero has cometido otros dos errores graves.

Agaché la cabeza. Pensé que seguramente había cometido más de dos fallos, pero no pensaba discutírselo.

—Tu error más grave fue matar a esa bruja —dijo el Espectro—. Deberías haberla traído aquí otra vez, porque Madre Malkin es tan fuerte que podría incluso liberarse de sus propios huesos. Casi nunca sucede, pero puede pasar: su espíritu podría nacer en este mundo otra vez, sin dejarse ni uno solo de sus recuerdos. En ese caso, vendría a buscarte, muchacho, y querría venganza.

—Pero tardaría muchos años, ¿no? —pregunté—. Un recién nacido no es capaz de hacer nada. Primero tendría que crecer.

—Eso es lo peor de todo —repuso el Espectro—. Podría ocurrir antes de lo que te imaginas, pues tal vez el espíritu de Madre Malkin se apoderaría del cuerpo de otra persona y lo utilizaría como si fuese el suyo. Ese hecho se denomina «posesión» y es un mal asunto para todos los implicados. Cuando tiene lugar, nunca sabes cuándo ni de dónde vendrá el peligro.

»Podría poseer el cuerpo de una joven, una damisela de sonrisa embelesadora, que cautivaría tu corazón antes de quitarte la vida. O bien podría valerse de su belleza para someter a su antojo a un hombre poderoso y fuerte, a un caballero o a un juez, que te mandaría a una mazmorra donde quedarías a merced de la dama. Una vez más, el tiempo estará de su parte, y tal vez te atacaría cuando yo no esté aquí para ayudarte, quizá dentro de muchos años, o bien cuando ya no seas un espectro en plenas facultades y, por lo tanto, te falle la vista y tus articulaciones empiecen a anquilosarse.

»Pero existe otra clase de posesión que, en este caso, es la más probable... mucho más probable. Verás, muchacho, tener a una bruja viva metida en una fosa tiene sus complicaciones, sobre todo si se trata de una bruja tan poderosa que se ha pasado su larga vida practicando magia de sangre. Ella habrá comido gusanos y otros reptiles y habrá absorbido la humedad por la piel. Así pues, del mismo modo que un árbol puede petrificarse lentamente y convertirse en una roca, el cuerpo de esa bruja también habrá ido modificándose poco a poco. Es posible que al agarrarse al cayado de serbal se le parase el corazón, y eso la haya empujado a cruzar la frontera de la muerte, y al ser arrastrada por las aguas del río, se acelerase el proceso.

»En ese caso, todavía estará apresada en sus huesos, como la mayoría de las brujas malévolas, pero debido a su enorme fuerza, será capaz de trasladar su propio cadáver. Verás, muchacho: estará, como decimos nosotros, "infestada". Es una vieja expresión del condado que seguro que has oído mil veces. Quiero decir que, del mismo modo que una cabellera puede estar infestada de piojos, el cadáver de Madre Malkin está ahora infestado de su espíritu malvado. Estará bullendo como un cuenco repleto de gusanos, y se arrastrará, reptará o gateará hacia la víctima que haya escogido. En vez de estar duro como un árbol petrificado, su cadáver estará reblandecido y maleable y será capaz de colarse por el hueco más estrecho: se filtrará por la nariz o por el oído de alguien, y poseerá así el cuerpo del elegido.

»Sólo hay dos maneras de cerciorarse de que nunca regrese una bruja tan poderosa como Madre Malkin: la primera es quemarla, pero nadie debería sufrir un dolor tan horrible; la otra manera es demasiado horrenda para pensar siquiera en ella. Es un método del que muy pocos han oído hablar porque se practicó hace mucho tiempo, en una comarca lejana, al otro lado del mar. Según se recoge en los libros ancestrales de ese lugar, si te comes el corazón de una bruja, nunca podrá regresar. Pero, además, hay que comérselo crudo.

»Si aplicamos cualquiera de los dos métodos, no seremos mejores que la bruja a la que matamos —continuó el Espectro—. Ambos son una barbaridad. La única alternativa que nos queda es la fosa. También es una crueldad, pero lo hacemos para proteger a los inocentes, a aquellos que serían sus víctimas en el futuro. Bueno, muchacho, nos guste o no, ahora la bruja está libre. Sin duda nos esperan más problemas, pero de momento no podemos hacer gran cosa. Sólo estar en guardia.

—Por mí no se preocupe —dije—. Me las arreglaré como sea.

—Bien, será mejor que empieces por aprender a ser jefe de un boggart —replicó el Espectro, moviendo la cabeza con aire de tristeza—. Ése fue tu otro gran error. ¿Qué quiere decir que tendrá todos los domingos libres? ¡Eso es demasiado generoso por tu parte! En fin, ¿cómo lo arreglamos? —preguntó al tiempo que señalaba una fina humareda que aún podía divisarse hacia el sudeste.

Me encogí de hombros.

—Supongo que en estos momentos todo habrá terminado ya —dije—. Había muchos campesinos enfurecidos y hablaban de apedrear a los malhechores.

—¿Que todo habrá terminado ya? No te creas, muchacho. Una bruja como Lizzie tiene mejor sentido del olfato que un perro de caza. Es capaz de olerse las cosas antes de que ocurran y debe de haberse marchado mucho antes de que llegaran los hombres. Habrá huido a Pendle, donde vive casi toda la prole. Deberíamos ir a por ella ahora mismo, pero he estado de viaje muchos días y estoy demasiado cansado, me duele todo el cuerpo y necesito reponer fuerzas. Aunque tampoco podemos dejar libre a Lizzie durante demasiado tiempo, o empezará a hacer de las suyas. Tendré que ir a buscarla antes de que termine esta semana, y tú vendrás conmigo. Ya puedes ir haciéndote a la idea porque no será fácil. Pero lo primero es lo primero, sígueme...

Me di cuenta de que cojeaba ligeramente y caminaba más despacio de lo habitual. Sea lo que fuere lo que había ocurrido en Pendle, él también había tenido que pagar un precio. Me condujo hasta la casa, subimos a la biblioteca y nos detuvimos junto a los estantes del fondo, los que quedaban cerca de la ventana.

—Me gusta guardar mis libros en la biblioteca —afirmó—, y me gusta que ésta vaya creciendo, en vez de que mengüe. Pero debido a lo que ha sucedido, voy a hacer una excepción. —Alargó el brazo hasta el estante superior, cogió un libro y me lo tendió—. Te hace más falta a ti que a mí —dijo—. Mucho más que a mí.

No era un libro muy grande, sino un poco más pequeño que mi cuaderno. Como casi todos los libros del Espectro, estaba encuadernado en cuero y tenía el título impreso tanto en la tapa como en el lomo. Decía: *Posesión: los malditos, los mareados y los desesperados.*

—¿Qué significa el título? —pregunté.

—Lo que dice, muchacho. Exactamente lo que dice. Lee el libro y lo entenderás.

Cuando abrí el libro, me llevé una desilusión. Absolutamente todas las palabras de cada página estaban escritas en latín, y yo no sabía leer latín.

—Estúdialo bien y llévalo siempre contigo —me aconsejó el Espectro—. Es la obra cumbre. —Debió de ver la cara de contrariedad que puse porque sonrió y señaló el libro—. Cuando digo cumbre, quiero decir que hasta ahora es el mejor libro que se ha escrito sobre la posesión, pero es un tema muy difícil; además, lo ha escrito un joven que aún tiene mucho que aprender. Por lo tanto no es la última palabra sobre este tema; quedan un montón de cosas por descubrir. Ábrelo por el final.

Hice lo que me indicaba y vi que las últimas diez páginas, aproximadamente, estaban en blanco.

—Si descubres algo nuevo, no tienes más que anotarlo ahí. Todo ayuda, hasta la información más nimia. Y no te preocupes por que esté en latín. Empezaré a darte clase en cuanto hayamos comido.

Bajamos a tomar la comida de la tarde, tan bien cocinada que era casi perfecta. Cuando hube tragado el último bocado, algo se movió debajo de la mesa y empezó a frotarse contra mis piernas. De repente oí el ronroneo, que fue sonando cada vez más fuerte hasta que al final todos los platos y las fuentes del aparador empezaron a entrechocar.

—No me extraña que esté contento —comentó el Espectro moviendo la cabeza—. ¡Un día libre al año habría estado más cerca de lo admisible! Pero en fin, no es para preocuparse, no ha pasado nada y la vida sigue su rumbo. Coge el cuaderno, muchacho. Hoy nos espera una clase muy larga.

Seguí al Espectro por el sendero en dirección al banco, donde descorché el frasco de tinta, mojé la pluma y me dispuse a tomar apuntes.

—Una vez superan la prueba de Horshaw —empezó a decir el Espectro, que se puso a andar cojeando de un lado a otro frente al banco—, intento que mis aprendices vayan acostumbrándose al trabajo de la manera más suave posible. Pero ahora que te las has visto cara a cara con una bruja, ya sabes lo difícil y peligroso que puede ser este trabajo, y creo que estás preparado para enterarte de lo que le ocurrió a mi último aprendiz. Tiene que ver con los boggarts, que es el tema que estábamos estudiando, y te servirá para aprender más. Busca una hoja en blanco y escribe esto como título...

Hice lo que me dijo y anoté: «Cómo apresar a un boggart». A continuación, mientras el Espectro me contaba la historia, fui tomando apuntes, haciendo esfuerzos como siempre para no perder el hilo.

Como bien sabía, apresar a un boggart implicaba cumplir una serie de arduas tareas, que el Espectro denominó «preparación». En primer lugar, había que cavar una fosa lo más cerca posible de las raíces de un árbol grande y adulto. Después de todo lo que el Espectro me había hecho cavar, me sorprendió escuchar que rara vez los espectros cavan ellos mismos las fosas. Era un trabajo que sólo hacían cuando se trataba de una emergencia, pero normalmente se ocupaban de ello un par de albañiles.

En segundo lugar, había que contratar a un mampostero para que cortase un bloque grueso de piedra con el que tapar la fosa, como si se tratase de una lápida. Era muy importante que la piedra estuviese cortada con total precisión, para sellar bien el hueco. Después de revestir el filo inferior de la piedra y el interior de la fosa con la mezcla de hierro, sal y pegamento fuerte, llegaba el momento de meter al boggart sin causar daños.

Esto último no era demasiado difícil. La sangre o la leche, o bien una combinación de ambas sustancias, siempre daba resultado. Lo que de verdad resultaba difícil era colocar la piedra en su posición mientras el boggart comía. El éxito de la operación dependía de la calidad de la ayuda a la que recurrías.

Lo mejor era tener cerca al mampostero mientras un par de albañiles manejaban las cadenas, que eran controladas desde una torreta de madera colocada sobre la fosa, de tal modo que pudiese bajarse la piedra rápidamente y sin grandes problemas.

Ése fue el error que cometió Billy Bradley. El suceso tuvo lugar a finales del invierno. Hacía muy mal tiempo, y como

Billy tenía prisa por volver a la cama y estar calentito, no prestó la debida atención a todos los detalles.

Recurrió a unos obreros del pueblo que nunca habían realizado esa clase de trabajo. El mampostero se había ido a cenar con la promesa de regresar al cabo de una hora, pero Billy estaba impaciente y no podía esperar. Metió al boggart en la fosa sin demasiado esfuerzo, pero la losa de piedra empezó a causarle dificultades. Hacía una noche muy húmeda, y la losa resbaló y le atrapó la mano izquierda.

La cadena se atascó y no pudieron levantar la piedra. Mientras los obreros luchaban por moverla, y aprovechando que uno de ellos fue a buscar al mampostero, el boggart, enfurecido por verse apresado bajo la piedra, empezó a ensañarse con los dedos de Billy. Resulta que era uno de los boggarts más peligrosos de todos, pues pertenecía a la clase denominada «destripadores» que, normalmente, sólo se alimenta de ganado, aunque a éste le gustaba también el sabor de la sangre humana.

Cuando levantaron la piedra, había pasado casi media hora, y el mal ya estaba hecho: el boggart le había arrancado los dedos a mordiscos, hasta la segunda falange, y se había dedicado a chuparle la sangre. Al principio Billy había gritado de dolor, pero al final ya sólo gemía. Cuando por fin liberaron su mano, sólo le quedaba el pulgar. Poco después murió de espanto y también debido a la pérdida de sangre.

—Fue un suceso trágico —dijo el Espectro—. En la actualidad está enterrado bajo el seto, a la salida del cementerio de Layton. Y es que todo el que se dedica a este oficio no puede reposar en tierra consagrada. Este suceso ocurrió hace exactamente un año, y si Billy hubiese sobrevivido, ahora mismo yo no estaría hablando contigo, porque él seguiría siendo mi aprendiz. Pobre Billy, era un buen muchacho y no se merecía ese final, pero éste es un trabajo peligroso y si no se hace bien...

El Espectro me miró con ojos tristes y se encogió de hombros.

—Aprende la lección, muchacho. Necesitamos valor y paciencia, pero sobre todo nunca hay que tener prisa. Usamos el cerebro, reflexionamos con cuidado, y entonces hacemos lo que haya que hacer. En el transcurso normal de los acontecimientos, jamás mando solo a un aprendiz hasta que ha pasado su primer año de formación. A no ser, claro está —añadió con una leve sonrisa—, que él mismo tome las riendas de la situación. Aun así, tengo que estar seguro de que está preparado. Pero lo primero es lo primero —terminó—. Y ahora ha llegado el momento de iniciar tu primera clase de latín...

Capítulo 11
La fosa

Ocurrió tres días después...

El Espectro me había encargado que bajara al pueblo para recoger los víveres de la semana. Casi estaba anocheciendo cuando salí de la casa con el saco vacío, y las sombras empezaban ya a alargarse.

A poca distancia de la escalerilla de la tapia vi que alguien estaba de pie donde terminaba el bosque, casi en lo alto del estrecho sendero. Cuando me di cuenta de que era Alice, mi corazón empezó a palpitar más deprisa. ¿Qué estaba haciendo ahí? ¿Por qué no se había marchado a Pendle? Y si ella se había quedado, ¿qué había hecho Lizzie?

Ralenticé el paso, pero debía pasar por delante de ella para llegar al pueblo. Podría haber retrocedido para tomar un camino más largo, pero no quería darle el gusto de pensar que me asustaba. Sin embargo, después de pasar la tapia, seguí por el lado izquierdo del sendero, sin separarme del alto seto de espino, y caminé por el mismo borde de la profunda zanja que lo delimitaba.

Alice aguardaba en la penumbra, y únicamente le asomaba la punta de los zapatos a la escasa claridad. Me hizo un gesto para que me acercase, pero mantuve la distancia y permanecí a tres pasos largos de ella. Después de todo lo que había sucedido, no me fiaba ni un pelo. De todos modos, me alegraba de que no la hubiesen quemado ni apedreado.

—He venido a decirte adiós —dijo Alice— y a avisarte de

que nunca rondes por Pendle. Nos vamos allí. Lizzie tiene parientes en ese lugar.

—Me alegro de que escapases —contesté yo deteniéndome un instante y volviéndome para mirarla directamente—. Vi el humo cuando os quemaron la casa.

—Lizzie sabía que iban a venir —repuso Alice—, y nos marchamos con tiempo suficiente. Pero ella no te olió, ¿a que no? Sabe lo que le hiciste a Madre Malkin, pero se enteró después de que ocurriera. El hecho de que no te oliera le preocupa, y dijo que tu sombra tenía un olor raro.

Solté una carcajada. ¡Menudo disparate! ¿Cómo va a tener olor una sombra?

—No tiene gracia —se quejó Alice—. No es para reírse. No notó tu olor hasta que tu sombra llegó al granero. Yo también la vi, y había algo raro en esa sombra. La luna reveló quién eres realmente.

De repente dio dos pasos hacia mí, saliendo a la luz, y se inclinó hacia delante para olisquearme.

—Es cierto que hueles raro —dijo arrugando la nariz. Retrocedió aprisa y, de pronto, pareció asustada.

Sonreí y adopté un tono conciliador.

—Oye —dije—, no te vayas a Pendle. Estarás mejor sin ellos. Son mala compañía.

—Las malas compañías me dan igual. No me van a cambiar, ¿verdad? Yo ya soy mala. Mala por dentro. No te creerías cómo he sido y lo que he hecho. Lo siento —añadió entonces—. Otra vez he sido mala y no he tenido suficiente coraje para negarme a...

De repente, aunque a deshora, entendí cuál era el verdadero motivo por el que el miedo había asomado al rostro de Alice: no era a mí a quien tenía miedo, sino a lo que había a mi espalda.

Yo no había visto ni oído nada. Y cuando me di cuenta, ya no había remedio. Sin previo aviso, me arrebataron el saco vacío y me lo metieron por la cabeza y por los hombros, y todo quedó a oscuras. Unas fuertes manos me agarraron y me apresaron los brazos a ambos lados del tronco. Durante unos segundos traté de liberarme, pero fue inútil. Luego me levantaron en volandas con la misma facilidad con que un granjero transporta un saco de patatas. Mientras me llevaban, oí unas voces: la de Alice y luego la voz de una mujer. Supuse que era Lizzie *la Huesuda*. La persona que me cargaba en el saco se limitaba a emitir gruñidos: tenía que ser Colmillo.

Alice me había tendido una trampa. Todo había sido planeado meticulosamente. Debían de estar escondidos en la zanja mientras yo bajaba desde la casa del Espectro.

Estaba muy asustado, más que nunca, y no era para menos: ¡había matado a Madre Malkin, que era la abuela de Lizzie! ¿Qué me iban a hacer?

Al cabo de una hora, más o menos, me dejaron caer al suelo. Me di tal golpazo que me quedé sin aire en los pulmones.

En cuanto recuperé el aliento, traté de salir del saco, pero alguien me dio dos mamporros en la espalda con tanta fuerza que ya no me atreví a moverme más. Habría hecho lo que fuera para que no volvieran a pegarme de esa manera. Me quedé tendido, casi sin atreverme a respirar, mientras el dolor iba poco a poco perdiendo intensidad.

A continuación me ataron con una cuerda, enroscándola a lo largo del saco alrededor de mis brazos y de mi cabeza, y al final hicieron un nudo prieto. En ese momento Lizzie dijo unas palabras que me pusieron los pelos de punta:

—Ya está, no escapará. Ahora puedes empezar a cavar el hoyo. —La mujer acercó mucho la cara a la mía, tanto que pude notar su aliento maloliente a través de la tela del saco.

Era como el de un perro o de un gato—. Muy bien, niño —añadió—. ¿Qué se siente al saber que nunca más verás la luz del día?

A lo lejos oí que alguien empezaba a cavar la tierra, y me eché a temblar de espanto. Entonces recordé la historia que me había contado el Espectro sobre la esposa del minero, en especial la parte más terrible de todo el relato: cuando ella se había quedado tumbada, paralizada, incapaz de gritar, mientras su marido le cavaba la tumba. Ahora eso mismo me pasaría a mí. ¡Me iban a enterrar vivo! Habría hecho cualquier cosa con tal de ver otra vez la luz del día, aunque sólo fuese un segundo.

Cuando cortaron la cuerda y me quitaron el saco, me sentí aliviado en un primer momento. El sol se había ocultado ya, pero al mirar al cielo contemplé las estrellas y la luna menguante que asomaba un poco por encima de los árboles. También noté el viento en el rostro; nunca me había resultado tan grata esa sensación. Sin embargo, el alivio no duró más que unos minutos, pues empecé a preguntarme qué habían planeado hacer conmigo exactamente. No se me ocurría nada peor que ser enterrado vivo, pero seguro que Lizzie *la Huesuda* tenía muchas ideas.

A decir verdad, cuando vi a Colmillo de cerca por primera vez, no me pareció tan terrible como había creído. De algún modo, lo había considerado más terrorífico la noche que me persiguió. No era tan viejo como el Espectro, pero tenía la cara surcada de arrugas, ajada, y una maraña de pelo gris y grasiento le cubría la cabeza; los dientes eran tan grandes que no le cabían en la boca, por lo que nunca podía cerrarla del todo, y tenía dos de ellos curvados hacia arriba como si fuesen colmillos amarillentos que le asomaran a cada lado de la nariz; era muy corpulento y peludo, y tenía unos brazos fuertes y musculosos. Yo había experimentado la fuerza de esos brazos alrededor de mi cuerpo y me había parecido ya bastante horrible, pero sabía que poseía tal potencia en los hombros que podría estrujarme hasta lograr que me quedase sin una brizna de aire en el cuerpo y que mis costillas se partieran.

El individuo llevaba en el cinturón un enorme cuchillo curvo, cuya hoja parecía afiladísima. Pero lo peor de él eran los ojos: no tenían ninguna expresión. Era como si el cerebro de Colmillo estuviera muerto, y él fuera un pelele que se limitara a obedecer a Lizzie *la Huesuda* de forma inconsciente. Yo estaba convencido de que Colmillo haría lo que ella le ordenase, sin rechistar, por muy horroroso que fuera.

Por su parte, Lizzie *la Huesuda* no era en absoluto huesuda; y por lo que yo había leído en la biblioteca del Espectro, pensé que, probablemente, la llamaban así porque usaba magia de huesos. Ya le había olido el aliento, pero a simple vista no la habríais tomado por una bruja, porque no era como Madre Malkin, apergaminada por la edad y con aspecto de estar ya muerta, sino que era igual que Alice, sólo que un poco mayor. Seguramente, no pasaba de los treinta y cinco años; tenía unos bonitos ojos castaños y el pelo negro, como su sobrina, y llevaba un chal verde y un vestido negro ceñido con un cinturoncillo de cuero alrededor del esbelto talle. Se parecía a Alice, a excepción de la boca. No tanto por la forma, sino por la manera de moverla, puesto que la curvaba y la abría burlonamente al hablar. Otra cosa que me llamó la atención fue que no me miraba a los ojos.

Alice no era así. Tenía una boca bonita, capaz de sonreír todavía, pero me di cuenta de que acabaría siendo idéntica a su tía.

Alice me había engañado. Ella era la causante de que me encontrase allí, en lugar de estar cenando a salvo en casa del Espectro.

A una leve inclinación de cabeza de Lizzie *la Huesuda,* Colmillo me agarró y me ató las manos a la espalda. Luego me sujetó por el brazo y tiró de mí para llevarme hasta los árboles. Lo primero que vi fue un montículo de tierra oscura, y a continuación la profunda fosa detrás, noté el húmedo y arcilloso hedor de la tierra recién removida. Olía a muerto y a vivo a la vez, pues habían sacado bichos a la superficie que en realidad pertenecían al mundo subterráneo.

La fosa debía de medir más de dos metros de profundidad, pero a diferencia de la que el Espectro había usado para retener a Madre Malkin, ésta tenía una forma irregular, como un hoyo enorme con paredes casi verticales. Recuerdo que pensé que, después de todo lo que había practicado, yo habría podido cavar uno mucho mejor.

En ese instante la luna me mostró algo más, algo que habría preferido no ver: a unos tres pasos de distancia, a la izquierda del hoyo, había un rectángulo de tierra recién removida. Parecía exactamente una tumba recién hecha.

Antes de que pudiera empezar a angustiarme, Colmillo tiró de mí hasta el borde de la fosa y me obligó a echar la cabeza hacia atrás. Vi fugazmente la cara de Lizzie *la Huesuda* pegada a la mía; después me pusieron en los labios algo duro, y un líquido frío y amargo me recorrió la garganta. Tenía un sabor repugnante y me llenó la garganta y la boca hasta los topes, de manera que se derramó fuera e incluso me salió por la nariz. Me atraganté y abrí la boca para intentar respirar. Quise escupir, pero Lizzie *la Huesuda* me tapó la nariz apretándola con el índice y el pulgar, por lo que, si quería respirar, tenía que tragar primero.

Después Colmillo me soltó la cabeza y volvió a atenazar con sus fuertes manos mi brazo izquierdo. En ese momento vi lo que me habían metido en la boca a la fuerza (Lizzie *la Huesuda* lo sostenía en alto para que pudiera verlo): era un frasquito de vidrio oscuro, una pequeña botella con un cuello largo y estrecho. Ella lo volcó para que el cuello del recipiente apuntase hacia el suelo, y cayeron unas gotas en la tierra. El resto estaba ya en mi estómago.

¿Qué había bebido? ¿Me había envenenado?

—Eso te mantendrá los ojos bien abiertos, niño —dijo con una sonrisa burlona—. No nos gustaría que te adormilases, ¿verdad que no? No querríamos que te perdieras nada.

Sin previo aviso, Colmillo me dio la vuelta con virulencia hacia la fosa y me tiró dentro. Noté que el estómago se me hundía mientras caía en el vacío. Choqué contra el fondo como un fardo pesado, pero la tierra estaba blanda y, aunque la caída me dejó sin resuello, estaba ileso. Así pues, me giré para mirar hacia el cielo estrellado, convencido de que, seguramente, al final iban a enterrarme vivo. Pero en lugar de ver caer sobre mí una palada de arena, lo que divisé fue el contorno de la cabeza y de los hombros de Lizzie *la Huesuda*, que se había asomado al hoyo: una silueta recortada sobre el fondo estrellado. Entonces entonó un cántico con una especie de extraño susurro gutural, pero no logré entender lo que decía con exactitud.

A continuación estiró los brazos por encima de la fosa y fui capaz de distinguir que sujetaba algo en cada mano. Profiriendo un extraño grito, abrió las manos, y dos cosas blancas cayeron hacia mí hasta chocar con el barro del fondo, junto a mis rodillas.

A la luz de la luna vi claramente lo que eran. Casi resplandecían. Lizzie había tirado dos huesos a la fosa: eran los huesos de dos pulgares (reconocí la forma de los nudillos).

—Disfruta de tu última noche en este mundo, niño —me dijo desde arriba—. Pero no temas, no estarás solo, pues te dejo en buena compañía. Billy *el Muerto* vendrá a buscar sus huesos. Él está justo al lado, así que no tendrá que ir muy lejos. Pronto estará contigo. Los dos tenéis mucho en común. Era el último aprendiz del viejo Gregory y no le hará gracia saber que tú ocupas ahora su puesto. Más tarde, antes del alba, vendremos a verte por última vez. Vendremos a recoger tus huesos porque... son especiales, incluso mejores que los de Billy, y si se recogen frescos serán los más útiles que haya tenido en mucho tiempo.

Se retiró, y oí pisadas que se alejaban.

¡Conque eso era lo que me pasaría! Si Lizzie quería mis huesos, quería decir que iba a matarme. Recordé la enorme cuchilla curva que Colmillo llevaba en el cinturón, y me entraron temblores.

Pero antes de morir tenía que vérmelas con Billy *el Muerto*. Cuando Lizzie había dicho «justo al lado», seguramente se había referido a la reciente tumba que había junto a la fosa. Pero el Espectro me había dicho que Billy Bradley estaba enterrado fuera del cementerio de Layton. Lizzie debía de haber desenterrado el cuerpo del aprendiz, cortado los pulgares y enterrado el resto aquí, entre los árboles. Y ahora Billy iba a venir a recuperar sus dedos.

¿Querría Billy Bradley hacerme daño? Yo nunca le había hecho nada a él, pero seguramente había disfrutado siendo aprendiz del Espectro. Tal vez estaría deseando terminar su período de formación y convertirse en un espectro de verdad. Ahora yo ocupaba el lugar que antes había sido suyo. Pero eso no era todo: ¿y el conjuro de Lizzie *la Huesuda*? Billy pensaría que fui yo quien le había cortado los pulgares y los había tirado a la fosa...

Logré ponerme de rodillas y pasé los minutos siguientes tratando desesperadamente de desatarme las manos. No hubo forma. Era como si mis esfuerzos estuviesen apretando aún más la cuerda.

Además, me sentía raro, estaba aturdido y con la boca seca. Levanté la vista al cielo. Las estrellas parecían muy brillantes, y cada una tenía otra gemela al lado. Si me concentraba mucho, conseguía que cada doble estrella volviese a ser una, pero en cuanto me relajaba, se escindían de nuevo. Me abrasaba la garganta, y el corazón me palpitaba tres o cuatro veces más deprisa de lo normal.

No dejaba de pensar en lo que había dicho Lizzie *la Huesuda*: que Billy *el Muerto* vendría a buscar sus huesos. Unos huesos que habían quedado tirados en el barro a menos de dos pasos de donde yo estaba arrodillado. Si hubiese tenido libres las manos, los habría lanzado fuera de la fosa.

De repente percibí un leve movimiento a mi izquierda. En el caso de haber estado de pie, habría sido a la altura de mi cabeza. Alcé la vista y me quedé mirando cómo, de un lado de la fosa, emergía una cabeza larga, oronda y blanca de gusano. Era muchísimo más grande que cualquier gusano que hubiera visto anteriormente. Retorcía la cabeza, ciega e hinchada, en lentos círculos, mientras sacaba el resto del cuerpo. ¿Qué podía ser? ¿Sería venenoso? ¿Mordería?

Y entonces se dirigió hacia mí. ¡Era un gusano de ataúd! Debía de ser un bicho que había estado viviendo en el ataúd de Billy Bradley, y se había puesto gordo y lustroso. ¡Un bicho blanco porque nunca había visto la luz del sol!

Me estremecí. El gusano seguía retorciéndose para salir del oscuro fango hasta que cayó a mis pies. Entonces lo perdí de vista, pues rápidamente se metió bajo tierra.

Al ser tan grande, el gusano blanco había quitado un buen trozo de tierra del lado de la fosa, dejando tras de sí un agujero similar a un estrecho túnel. Me quedé observándolo, horrorizado pero fascinado a la vez porque había algo más que se movía allí dentro. Algo que desplazaba la tierra y la hacía caer, como una cascada desde el agujero hacia el suelo, formando un montículo de arena cada vez más grande.

No saber qué era empeoraba la situación. Decidí que tenía que ver qué había ahí dentro, y luchando con todas mis fuerzas, logré ponerme en pie. Me tambaleé, pues otra vez me sentía aturdido, y las estrellas empezaron a dar vueltas. Casi me caí, pero me las ingenié para dar un paso dándome impulso hacia delante, de tal modo que quedé muy cerca del estrecho túnel, cuya abertura estaba ahora a la altura de mi cabeza.

Cuando miré hacia dentro, deseé no haberlo hecho.

Vi huesos, huesos humanos. Huesos que estaban engarzados unos con otros. Huesos que se movían. Dos manos sin pulgares; una de ellas sin dedos. Huesos que chapoteaban en el barro arrastrándose hacia mí por la blanda tierra. Y una calavera sonriente a la que le faltaba algún diente.

Era Billy *el Muerto,* pero allí donde antes había tenido los ojos, ahora sólo había dos cuencas negras que me miraban, cavernosas y vacías. Cuando una mano blanca y sin carne quedó expuesta a la luz de la luna y se lanzó hacia mi cara, di un paso atrás. Estuve a punto de caerme y empecé a sollozar de espanto.

En el momento en que creía que el terror iba a volverme loco, el aire se tornó repentinamente mucho más frío, y sentí una presencia a mi derecha. Alguien más había venido a hacerme compañía en la fosa. Alguien que estaba de pie en un lugar donde era imposible permanecer derecho, y cuya mitad del cuerpo quedaba a la vista mientras que la otra mitad continuaba incrustada en el muro de tierra.

Era un niño no mucho mayor que yo. Sólo podía ver su lado izquierdo porque el resto del cuerpo estaba más allá, aún enterrado. Tan fácilmente como si estuviese saliendo por una puerta, giró el hombro derecho hacia mí y el resto del cuerpo apareció en la fosa. Entonces me sonrió. Era una sonrisa cálida y amistosa.

—La diferencia entre la vigilia y el sueño —dijo—. Ésa es una de las lecciones más difíciles de aprender. Apréndela ya, Tom. Apréndela antes de que te sea imposible...

De pronto me fijé en sus botas: parecían muy caras y estaban hechas de cuero de la mejor calidad. Eran idénticas a las del Espectro.

A continuación levantó las manos con las palmas vueltas hacia arriba y las colocó a cada lado de la cabeza. En las dos faltaban los pulgares. Pero, además, en la mano izquierda le faltaban también todos los dedos.

Era el fantasma de Billy Bradley.

Cruzó las manos sobre el pecho y me sonrió de nuevo. Entonces empezó a desaparecer. Parecía feliz y en paz.

Entendí lo que me había dicho. No, yo no estaba dormido, pero en cierto sentido había estado soñando. Había estado soñando las pesadillas que habían salido del frasco que Lizzie me había metido en la boca a la fuerza.

Cuando me di la vuelta para mirar el agujero, ya no estaba allí. Nunca había habido un esqueleto reptando hacia mí ni tampoco había habido ningún gusano de ataúd.

La poción debía de haber sido una especie de veneno: una sustancia que impedía que se distinguiera con claridad la diferencia entre la vigilia y el sueño. Eso era lo que Lizzie me había dado. Había provocado que el corazón me latiera más deprisa y me había impedido dormir; había mantenido mis ojos bien abiertos, pero también les había hecho ver cosas que en realidad no estaban ahí.

Poco después las estrellas se ocultaron y empezó a llover con intensidad. Fue una noche larga, incómoda y fría, y no dejaba de pensar en lo que me pasaría antes del alba. Cuanto más se acercaba la hora, peor me sentía.

Una hora antes del amanecer, aproximadamente, la lluvia dio paso a una llovizna y finalmente cesó. Las estrellas volvieron a lucir, y ya no las veía dobles. Estaba calado hasta el tuétano y tenía frío, pero ya no me abrasaba la garganta.

Cuando arriba apareció una cara que miraba hacia el fondo de la fosa, mi corazón se desbocó porque creí que era Lizzie que venía a recoger mis huesos. Pero, para mi alivio, resultó ser Alice.

—Lizzie me manda para ver cómo lo llevas —dijo dulcemente—. ¿Ya ha venido Billy?

—Ha venido y se ha ido —respondí, enfadado.

—No era mi intención que pasara nada de esto, Tom. Si no te hubieses entrometido, todo habría ido bien.

—¿Cómo que todo habría ido bien? —repliqué—. En estos momentos habría otro niño muerto, además del Espectro, si os hubieseis salido con la vuestra. Y aquellos pasteles tenían sangre de un bebé. ¿A eso le llamas tú ir bien? ¡Vienes de una familia de asesinos y tú misma eres una asesina!

—No es verdad. ¡Eso no es verdad! —protestó Alice—. No había ningún bebé. Lo único que hice fue darte los pasteles.

—Aun así —insistí—, sabías lo que iban a hacer después e ibas a permitir que ocurriera.

—No soy tan fuerte, Tom. ¿Cómo podía impedirlo? ¿Cómo podía detener a Lizzie?

—Yo he escogido lo que quiero hacer —le dije—. Pero ¿qué escogerás tú, Alice? ¿Magia de huesos o magia de sangre? ¿Cuál de las dos? ¿Con cuál te quedarás?

—No voy a quedarme con ninguna. Yo no quiero ser como ellos. Huiré. A la mínima oportunidad, me marcharé.

—Si de verdad piensas eso, ayúdame ahora. Ayúdame a salir de la fosa. Podríamos huir juntos.

—Ahora es demasiado peligroso —respondió Alice—. Huiré más adelante. Quizá dentro de unas semanas, cuando no se lo esperen.

—Quieres decir cuando yo haya muerto. Cuando tus manos estén manchadas de más sangre...

Alice no contestó. La oí llorar en voz baja, pero cuando creí que estaba a punto de cambiar de opinión y socorrerme, se marchó.

Me quedé sentado en la fosa, temeroso de lo que iba a pasarme; recordé a los ahorcados y entendí perfectamente cómo debieron de sentirse antes de morir. Estaba convencido de que nunca volvería a casa ni vería a mi familia nunca más. Casi había abandonado toda esperanza de sobrevivir, cuando oí unas pisadas que se acercaban a la fosa. Me puse en pie, aterrado, pero resultó ser Alice otra vez.

—¡Oh, Tom, lo siento! —exclamó—. Están afilando los cuchillos...

Se acercaba el peor momento de todos, y me di cuenta de que sólo me quedaba una opción: mi única esperanza era Alice.

—Si de verdad lo sientes, me ayudarás —dije en voz baja.

—Pero yo no puedo hacer nada —gimió—. Lizzie se pondría en mi contra. No se fía de mí porque cree que soy una blanda.

—Ve a buscar al señor Gregory —le pedí—. Tráelo aquí.

—Un poco tarde para eso, ¿no? —contestó Alice entre sollozos, moviendo negativamente la cabeza—. A Lizzie no le sirven los huesos que coge de día. No le sirven para nada. El mejor momento para conseguir huesos es antes de que salga el sol. Vendrán a buscarte dentro de unos minutos. Ése es todo el tiempo que te queda.

—Entonces consígueme un cuchillo —dije.

—Es inútil —repuso—. Son demasiado fuertes. Tú no puedes con ellos, ¿a que no?

—No —respondí—. Lo quiero para cortar la cuerda. Saldré corriendo.

De repente Alice desapareció. ¿Habría ido a por un cuchillo o tendría demasiado miedo de Lizzie? Aguardé unos instantes, pero como no volvía, empecé a desesperarme. Luché con todas mis fuerzas por separar las muñecas, por romper la cuerda, pero fue inútil.

Cuando una cara asomó en lo alto, me llevé tal susto que el corazón me dio un vuelco. Pero era Alice otra vez, y sostenía algo por encima de la fosa. Lo dejó caer y, mientras caía, vi un destello metálico a la luz de la luna.

Alice no me había fallado: había tirado un cuchillo. Yo sólo tenía que cortar la cuerda y estaría libre...

Al principio no había tenido ni la menor duda de que lo conseguiría, aunque tuviese las manos atadas a la espalda. En todo caso me haría algún pequeño corte, pero ¿qué importaba eso, comparado con lo que me harían antes del amanecer? Enseguida me apoderé del cuchillo. Más difícil fue colocarlo contra la cuerda, y también me costó mucho moverlo. Al caérseme al suelo por segunda vez, me entró el pánico porque no debía de faltar más de un minuto para que llegasen.

—Tendrás que ayudarme —le dije a Alice—. Vamos, salta a la fosa.

Yo no creía que fuese capaz de hacerlo, pero, sorprendentemente, Alice me ayudó. No bajó de un salto, sino que se dejó resbalar, pegada a la pared de la fosa; primero sacó los pies y luego se colgó del borde con los brazos. En cuanto tuvo todo el cuerpo extendido, se soltó y se dejó caer el último tramo.

No tardó mucho en cortar la cuerda, y mis manos quedaron libres. Lo que nos quedaba por hacer era salir de la fosa.

—Deja que me ponga de pie sobre tus hombros —le pedí—. Después yo tiraré de ti.

Alice no rechistó, y al segundo intento conseguí mantenerme en equilibrio sobre sus hombros y tirar con fuerza de mí mismo para salir a la húmeda hierba. Entonces vino la parte verdaderamente complicada: sacar a Alice de la fosa.

Le tendí la mano izquierda. Ella se agarró con firmeza con la suya y puso la derecha en mi muñeca para sujetarse mejor. A continuación tiré de ella.

El primer problema con que me topé fue que la hierba estaba mojada y resbaladiza, por lo que me resultó difícil no ser arrastrado y caer dentro de la fosa otra vez. Entonces me di cuenta de que no tenía suficiente fuerza para lograrlo. Había cometido un grave error: por el hecho de que Alice fuese una niña no tenía por qué ser necesariamente más liviana que yo, y recordé, cuando ya no estaba a tiempo, la forma en que ella había tirado de la cuerda para conseguir que sonase la campana del Espectro. Lo había hecho casi sin esfuerzo. Así pues, debería haberle pedido a ella que se subiese a mis hombros y dejar que saliera del foso antes que yo. Alice habría tirado de mí sin ninguna dificultad.

Fue entonces cuando oí unas voces: Lizzie *la Huesuda* y Colmillo se acercaban por el bosque.

Bajé la vista y vi los pies de Alice, que resbalaban por la pared de la fosa tratando de encontrar un asidero. La desesperación me infundió fuerzas. Di un último tirón, y la niña salió por los aires y cayó al suelo a mi lado.

Escapamos justo a tiempo. Echamos a correr mientras oíamos el sonido de otros pies que corrían detrás de nosotros. Al principio estaban bastante lejos, pero poco a poco el trecho que nos separaba fue volviéndose cada vez más corto.

No sé cuánto rato estuvimos corriendo, pero pareció una eternidad. Corrí tanto que sentía las piernas pesadas como el plomo, y el aliento me abrasaba la garganta. Por los fugaces vistazos que daba a las montañas por entre los árboles, deduje que nos dirigíamos a Chipenden. Corríamos hacia la parte más clara del horizonte por la que saldría el sol. El cielo empezaba a palidecer, iluminándose más a cada minuto que pasaba. Entonces, cuando noté que ya no podía dar un paso más, las cumbres de las montañas resplandecieron con un brillo anaranjado: era la luz del sol. Recuerdo que pensé que, aunque nos atrapasen en ese momento, al menos ya era de día, y mis huesos no le servirían a Lizzie para nada.

Salimos del bosque y empezamos a subir por una pendiente cubierta de hierba. Las piernas empezaron a flaquearme definitivamente. Se estaban convirtiendo en gelatina, y Alice cada vez se alejaba más de mí. La niña volvió la cara para mirarme, aterrada. Yo todavía oía las pisadas de los otros, que corrían aún entre los árboles.

Entonces, de súbito, me paré en seco. Me paré porque quise. Me paré porque no había necesidad de seguir corriendo.

En lo alto de la cuesta nos esperaba una figura alta, ataviada de negro, con un largo cayado en la mano. Era el Espectro, de eso no cabía duda, pero por alguna razón su aspecto no era el de siempre. No llevaba puesta la capucha, y el cabello, iluminado por los rayos del sol naciente, parecía una maraña de lenguas de fuego anaranjadas que le salían por detrás de la cabeza.

Colmillo emitió una especie de rugido y corrió pendiente arriba hacia él, blandiendo el cuchillo, mientras Lizzie *la Huesuda* le pisaba los talones. De momento habíamos dejado de importarles, pues habían reconocido a su principal enemigo. Después se ocuparían de nosotros dos.

Alice también se había detenido, y yo di un par de pasos renqueantes para acercarme a ella. Juntos contemplamos la embestida final de Colmillo, que alzaba el cuchillo curvo y bramaba enfurecido mientras corría.

El Espectro había permanecido inmóvil como una estatua, pero entonces reaccionó dando dos zancadas pendiente abajo y levantó el cayado. Apuntando con él como si fuese una lanza, lo adelantó con fuerza en dirección a la cabeza de Colmillo. Inmediatamente antes de tocar la frente del hombre, se oyó una especie de chasquido y apareció una llama roja en la punta del cayado. Cuando acertó en el blanco, se oyó un golpe sordo. El cuchillo curvo saltó por los aires, y Colmillo se desplomó como un saco de patatas. Supe que había muerto antes de que tocara el suelo.

Acto seguido, el Espectro arrojó el cayado a un lado y rebuscó bajo la capa con la mano izquierda. Cuando la sacó, vi que sujetaba algo. Enseguida lo sacudió en lo alto como si fuese un látigo. La luz del sol lo iluminó y me di cuenta de que era una cadena de plata.

Lizzie *la Huesuda* dio media vuelta y trató de salir corriendo, pero ya no estaba a tiempo. La segunda vez que el Espectro agitó la cadena, se oyó un sonido fino, agudo y metálico: la cadena empezó a caer mientras adoptaba la forma de una espiral de fuego, que se ató sola alrededor del cuerpo de Lizzie. Ella emitió un alarido, angustiada, y cayó al suelo.

Subí caminando hasta arriba de la cuesta, con Alice a mi lado. Allí vimos que la cadena de plata estaba firmemente enroscada al cuerpo de la bruja, apresándola de pies a cabeza. Incluso le tapaba la boca, que estaba abierta y dejaba ver cómo los dientes mordían el metal. Lizzie tenía los ojos en blanco y se retorcía tratando de liberarse, pero no podía gritar.

Me volví para mirar a Colmillo. Estaba tendido panza arriba, con los ojos como platos. Yacía muerto, y en el centro de la frente tenía una herida roja. Entonces miré el cayado. ¿Qué había sido aquella llamarada que había visto salir de su punta?

Mi maestro parecía demacrado, agotado y, de repente, muy viejo. No dejaba de mover la cabeza, como si estuviese cansado de la vida misma. En la penumbra de la cuesta, el cabello del Espectro había recobrado su habitual color gris, y me di cuenta entonces de por qué me había parecido que le surgía de la parte posterior de la cabeza: estaba cubierto de sudor, y se lo había echado hacia atrás con la mano para pegárselo al cráneo y apartarlo de las orejas. Mientras le miraba, volvió a hacer ese gesto. Además, del entrecejo le caían gotas de sudor y respiraba con dificultad, por lo que deduje que había estado corriendo.

—¿Cómo nos ha encontrado? —le pregunté.

Tardó unos segundos en contestar, pero por fin empezó a respirar con más calma y pudo hablar.

—Hay señales, muchacho. Rastros que pueden seguirse, si uno sabe cómo. Ésa es otra cosa que tendrás que aprender. —Se dio la vuelta y observó a Alice—. De esos dos ya no tenemos que preocuparnos, pero ¿qué vamos a hacer contigo? —preguntó mirándola fijamente.

—Me ayudó a escapar —dije.

—¿Es eso cierto? —se extrañó el Espectro—. Pero ¿qué más ha hecho?

Entonces me miró fijamente también, y yo traté de sostenerle la mirada. Cuando al final bajé la vista hacia mis botas, chasqueó la lengua. No podía mentirle y estaba seguro de que había adivinado que Alice había tenido algo que ver en lo que me había ocurrido.

Volvió a mirar a Alice.

—Abre la boca, niña —dijo en un tono áspero, cargado de rabia—. Quiero verte los dientes.

Alice obedeció, y de repente el Espectro alargó el brazo y la sujetó por la mandíbula. Acercó la cara a la boca abierta de la niña y la olisqueó ruidosamente.

Cuando se volvió hacia mí, parecía más sosegado. Luego dio un hondo suspiro.

—Su aliento huele dulce aún —declaró—. ¿Has olido el aliento de la otra? —preguntó soltando la mandíbula de Alice y señalando a Lizzie *la Huesuda*. —Asentí en silencio—. Se debe a su alimentación —me explicó—. Y te informa al instante de lo que ha estado haciendo. Quienes practican la magia de huesos o la magia de sangre se aficionan a la sangre y a la carne cruda. Pero parece que la niña no ha llegado a ese extremo. —A continuación arrimó el rostro al de Alice otra vez—. Mírame a los ojos, niña —le ordenó—. Sostenme la mirada todo lo que puedas.

Alice hizo lo que le dijo, pero, aunque por la mueca de la

boca se veía que estaba haciendo un esfuerzo tremendo, no fue capaz de mirarlo mucho rato. Al final bajó la vista y empezó a llorar en silencio.

El Espectro se fijó en sus zapatos de punta y movió la cabeza con aire de tristeza.

—No sé —dijo volviéndose hacia mí de nuevo—. De verdad que no sé qué será mejor. Ella no es la única. Tenemos que pensar en los demás, en los inocentes que podrían sufrir en el futuro. Ha visto demasiado y sabe demasiado para que todo ello no le afecte. Es posible que tome un camino u otro, y no sé si será peligroso dejarla marchar. Si va hacia el este a reunirse con sus semejantes en Pendle, estará perdida para siempre y, sencillamente, añadiría más oscuridad a la ya existente.

—¿No tienes otro sitio adónde ir? —pregunté a Alice dulcemente—. ¿No tienes más parientes?

—Hay un pueblo cerca de la costa que se llama Staumin. Allí tengo otra tía. A lo mejor me acoge...

—¿Es como las demás? —preguntó el Espectro mirando de nuevo a Alice.

—No llamaría tanto su atención —replicó—. De todos modos, es un largo camino y nunca he estado allí antes. Podría tardar tres días o más en llegar.

—Podría enviar al muchacho contigo —comentó el Espectro con un tono de voz que, de repente, se había vuelto mucho más amable—. Ha visto mis mapas, y lo considero capacitado para encontrar el camino. Cuando regrese, aprenderá a plegar los mapas correctamente. En fin, está decidido. Te voy a dar una oportunidad, niña. De ti depende aprovecharla. Si no lo haces, algún día nos encontraremos de nuevo, y la próxima vez no tendrás tanta suerte.

El Espectro sacó entonces del bolsillo el envoltorio de tela que ya me era familiar. Dentro había un pedazo de queso para el viaje.

—Tomad, para que no paséis hambre —dijo—. Pero no os lo comáis de golpe.

Deseé que por el camino encontrásemos algo mejor que comer, pero igualmente le di las gracias, aunque con poco entusiasmo.

—No vayáis directamente a Staumin —me advirtió el Espectro mirándome a los ojos sin pestañear—. Antes quiero que vayas a tu casa, muchacho. Llévate a la niña y deja que tu madre hable con ella. Tengo la sensación de que podría ayudarla. Te espero aquí dentro de dos semanas.

Al escuchar sus palabras, sonreí. Después de todo lo que había pasado, una oportunidad para ir a casa unos días era como un sueño hecho realidad. Pero me asombró un detalle, pues recordaba la carta que mi madre había enviado al Espectro y creo que a él no le hicieron mucha gracia ciertas cosas que ella había escrito. Entonces, ¿por qué pensaba que mi madre podría ayudar a Alice? No dije nada porque no quería arriesgarme a que el Espectro se lo pensase dos veces. Estaba muy contento de marcharme de allí.

Antes de partir, le hablé de Billy. Él asintió con tristeza, pero me dijo que no me preocupase porque él se encargaría de lo que fuera necesario.

Cuando nos pusimos en marcha, volví la cabeza y vi que el Espectro bajaba ya en dirección a Chipenden, cargando con Lizzie *la Huesuda* sobre el hombro izquierdo. Si lo hubierais visto por detrás, habríais pensado que era un hombre treinta años más joven.

Capítulo 12
Los desesperados y los mareados

Mientras bajábamos por la colina en dirección a la granja, una tibia llovizna nos roció la cara. A lo lejos un perro ladró dos veces, pero a nuestros pies todo estaba sereno y en silencio.

Era a última hora de la tarde, y estaba seguro de que en esos momentos mi padre y Jack estarían trabajando en el campo, lo cual me daría la oportunidad de hablar con mi madre a solas. Para el Espectro fue fácil decirme que me llevase a Alice a casa conmigo, pero durante el viaje yo había tenido tiempo para pensar. No sabía cómo se lo tomaría mamá, pero me parecía que no le iba a gustar tener a alguien como Alice en la casa, sobre todo cuando le contase lo que había hecho. En cuanto a Jack, me imaginaba su reacción perfectamente, pues por lo que Ellie me había dicho la última vez sobre su actitud hacia mi nuevo trabajo, lo último que querría mi hermano era tener en casa a la sobrina de una bruja.

Mientras cruzábamos el patio, señalé el granero.

—Será mejor que te resguardes ahí debajo —le indiqué—. Yo voy a casa a avisarlos.

En cuanto pronuncié esas palabras, se oyó el llanto de un bebé hambriento. Salía de la granja. Por un instante la mirada de Alice se cruzó con la mía, pero enseguida la niña bajó la vista y recordé la última vez que los dos habíamos estado con un bebé que lloraba.

Sin decir nada, Alice se volvió y se dirigió al granero, en silencio. No esperaba otra cosa de ella. Quizá hayáis pensado que, después de todo lo que había ocurrido, habríamos tenido mucho de que hablar durante el viaje, pero apenas habíamos abierto la boca. Creo que ella estaba disgustada por la manera en que el Espectro la había sujetado por la mandíbula para olerle el aliento. Tal vez eso la había obligado a pensar en lo que ella había hecho en el pasado. Fuera por la razón que fuese, casi todo el camino había estado sumida en sus pensamientos y con aspecto muy triste.

Supongo que podría haberme esforzado más, pero también yo estaba muy cansado y abatido, así que llegamos a acostumbrarnos a caminar en silencio. Mas fue un error, pues debería haber intentado conocer mejor a Alice en esos momentos; si lo hubiera hecho me habría ahorrado después muchos problemas.

Cuando empujé la puerta trasera, cesaron los llantos y oí otro sonido: el reconfortante crujido de la mecedora de mi madre.

La silla estaba junto a la ventana, pero por la expresión del rostro de mi madre, me di cuenta de que nos había estado escudriñando a través de la rendija que quedaba entre las cortinas, puesto que éstas no estaban corridas del todo. Nos había visto en el patio y, cuando entré en la estancia, empezó a mecer la silla más deprisa y con más brío, mirándome fijamente sin pestañear, mientras tenía sumida en la oscuridad media cara y la otra media iluminada por la larga vela que llameaba en el enorme candelabro del centro de la mesa.

—Cuando se trae a una invitada a casa, es de buena educación convidarla a pasar —dijo con una mezcla de enojo y de asombro—. Creí que te había enseñado a comportarte mejor.

—El señor Gregory me dijo que la trajera —repuse—. Se

llama Alice, y ha estado en malas compañías. Quiere que hables con ella, pero me pareció preferible contarte antes lo que ha ocurrido, por si no querías dejarla entrar.

Dicho esto, arrimé una silla y le conté qué había sucedido exactamente. Cuando terminé, ella dio un largo suspiro, y luego una leve sonrisa le dulcificó el semblante.

—Has hecho bien, hijo mío —me dijo—. Eres joven y nuevo en ese oficio; tus errores tienen perdón. Ve y trae a esa pobre niña, y después déjanos hablar a solas. Querrás subir a saludar a tu nueva sobrina, ¿no? Seguro que Ellie se alegrará de verte.

Así pues, fui a buscar a Alice, la dejé a solas con mi madre y subí la escalera.

Ellie estaba en la alcoba más grande. Antes era de mis padres, pero se la habían dejado a ella y a Jack porque cabían otras dos camas y una cuna, cosa que les vendría muy bien porque la familia empezaba a crecer.

Llamé a la puerta suavemente. Estaba entornada, pero esperé a que Ellie me dejase pasar. Estaba sentada en el filo de la cama de matrimonio, dando de mamar al bebé, que tenía la cabecita medio tapada por el chal de color rosa de su madre. Nada más verme, los labios de Ellie se convirtieron en una amplia sonrisa que me hizo sentir bienvenido, pero parecía cansada y tenía el pelo lacio y grasiento. Aunque yo aparté la mirada rápidamente, Ellie era lista, y estaba convencido de que me había visto que la observaba y había captado la expresión de mis ojos, pues enseguida se apartó el pelo de la frente.

—¡Oh, Tom, lo siento! —exclamó—. Debo de parecerte un desastre... He pasado toda la noche despierta y acabo de arañar una hora de sueño. No queda más remedio que hacerlo así cuando se tiene un bebé tan hambriento como ella. Llora mucho, sobre todo por las noches.

—¿Cuánto tiempo tiene? —pregunté.

—Esta noche cumple exactamente seis días. Nació poco después de la medianoche del sábado pasado.

Era la noche en que yo había matado a Madre Malkin. Por un instante su recuerdo me vino a la mente y un escalofrío me recorrió la espalda.

—Ya está, ya ha terminado de comer —dijo Ellie con una sonrisa—. ¿Quieres cogerla?

Era lo último que quería hacer porque la niña era tan pequeña y delicada, que me daba miedo apretarla demasiado o que se me cayese de las manos, sabiendo además que la cabeza no se le aguantaba. Pero no podía decir que no, pues Ellie se habría sentido herida. De todos modos, no tuve que sostener al bebé mucho rato porque, en cuanto la cogí en brazos, se puso colorada y rompió a llorar.

—Creo que no le gusto a este niño—dije a Ellie.

—No es «niño», es niña —me riñó ella poniendo cara de indignación—. Bueno, no te preocupes. No es por ti, Tom —añadió, y entonces sonrió —. Creo que todavía tiene hambre, nada más.

El bebé dejó de llorar en cuanto Ellie la cogió, y ya no me quedé mucho más tiempo. Entonces, mientras bajaba la escalera, oí un sonido en la cocina que no me esperaba.

Eran risas, las fuertes y sinceras risas de dos personas que se entienden de maravilla. En cuanto abrí la puerta y entré, el rostro de Alice se tornó muy serio, pero mi madre siguió riéndose a carcajadas durante unos segundos más, e incluso después de parar, una amplia sonrisa le iluminaba aún la cara. Debían de haber estado riéndose de algún chiste, uno muy divertido, pero no quise preguntar cuál era, y ellas no me lo contaron. Por la expresión de la mirada de ambas, tuve la sensación de que se trataba de algún secreto entre las dos.

En una ocasión mi padre me contó que las mujeres saben cosas que los hombres desconocen, pero no se les debe preguntar qué están pensando, a pesar de que a veces ves que tienen cierta expresión en la mirada. Si lo haces, podrían decirte algo que no quieres oír. Bueno, fuera el que fuese el motivo de tanta risa, desde luego las había hecho sentirse más unidas. A partir de entonces, fue como si se conociesen desde hacía años. El Espectro había tenido razón: si alguien podía ayudar a Alice, tenía que ser mi madre.

Pero me di cuenta de una cosa: mamá había dejado a Alice la habitación que había enfrente de la que ocupaban ahora mi padre y ella. Eran las dos alcobas del primer rellano. Mi madre tenía un oído muy fino, y eso quería decir que si Alice simplemente daba una vuelta en la cama mientras dormía, ella la oiría.

Así pues, a pesar de las risas, mi madre no bajaba la guardia con Alice.

Cuando Jack volvió de los campos de cultivo, me miró con cara de pocos amigos y murmuró algo entre dientes. Parecía que estaba enfadado por algo. Por el contrario, mi padre se alegró de verme y, para mi sorpresa, me saludó con un apretón de manos. Siempre saludaba de esa manera cuando venía a casa alguno de mis otros hermanos, pero era la primera vez que lo hacía conmigo. Aquel gesto me provocó tristeza y al mismo tiempo me hizo sentir orgulloso. Me trataba como si fuese un hombre hecho y derecho.

Jack no había pasado ni cinco minutos en la casa, cuando vino hacia mí.

—Vamos fuera —dijo sin alzar la voz para que nadie más pudiera oírle—. Quiero hablar contigo.

Salimos al patio, y Jack me llevó al otro lado del granero, cerca de la pocilga, donde no pudieran vernos desde la casa.

—¿Quién es esa niña que has traído?

—Se llama Alice. Tan sólo es una niña que necesita ayuda —respondí—. El Espectro me pidió que la trajera a casa para que mamá hablara con ella.

—¿Qué quieres decir con eso de que necesita ayuda?

—Es que últimamente ha estado frecuentando malas compañías, eso es todo.

—¿Qué clase de malas compañías?

Sabía que no le iba a gustar oírlo, pero no me quedaba otra opción. Tenía que contárselo. Además, si yo no lo hacía, se lo habría preguntado a nuestra madre.

—Su tía es una bruja. Pero no te preocupes porque el Espectro lo ha arreglado todo; sólo nos quedaremos unos días.

Jack explotó. Nunca lo había visto tan enfadado.

—Pero ¿es que has perdido el sentido común con el que naciste? —gritó—. ¿No te has parado a reflexionar? ¿No has pensado en el bebé? ¡En esta casa vive ahora una criatura inocente, y tú vas y traes a una niña que procede de una familia así! ¡Parece mentira!

Alzó el puño, y pensé que iba a pegarme. Pero descargó el golpe contra la pared del granero y provocó una algarabía entre los gorrinos.

—Mamá dice que no pasa nada —protesté.

—Sí, claro, típico de mamá —replicó Jack bajando repentinamente la voz, pero conservando el mismo tono áspero y enojado—. ¿Cómo iba a negarle nada a su hijo preferido? Además, como bien sabes, es demasiado buena. Por eso mismo no deberías aprovecharte. Mira, si llega a pasar algo, tendrás que responder ante mí. No me gusta la pinta de esa niña. No parece de fiar. Pienso vigilarla de cerca, y si se pasa de la raya, os pondré a los dos de patitas en la calle en un abrir y cerrar de ojos. Y mientras estéis por aquí, os ganaréis el sustento. Ella puede ayudar con las faenas de la casa para aligerar la carga de mamá, y tú puedes arrimar el hombro con las tareas de la granja. —Jack dio media vuelta y empezó a alejarse, pero le quedaba algo por decir—:

Como estás tan ocupado con cosas más importantes —añadió en un tono sarcástico—, a lo mejor no te has dado cuenta de lo cansado que parece papá. Cada vez le cuesta más trabajar.

—Os ayudaré, descuida —le dije—, y Alice también.

Durante la cena todos estuvimos muy callados, salvo mi madre. Supongo que se debía al hecho de tener a una extraña sentada a la mesa entre nosotros. A pesar de que, por educación, Jack no iba a quejarse en voz alta, miraba a Alice con mala cara, casi igual que a mí. Por suerte, mamá estaba tan alegre que ella sola animó el ambiente.

Ellie tuvo que levantarse dos veces para atender al bebé, que lloraba con tanta fuerza que habría sido capaz de derrumbar el tejado de la casa. La segunda vez la bajó a la cocina.

—Nunca he visto a un bebé que llore tanto como ella —comentó mi madre con una sonrisa—. Por lo menos tiene unos pulmones fuertes y sanos.

La carita de la niña estaba colorada y crispada. No pensaba decírselo a Ellie, pero la recién nacida no me parecía muy guapa y su cara me recordaba a la de una viejecita enfadada. El bebé estaba llorando como si estuviera a punto de explotar pero, de repente, se quedó callada y tranquila. Tenía los ojos muy abiertos y miraba fijamente el centro de la mesa, donde estaba sentada Alice, cerca del enorme candelabro de bronce. Al principio no me pareció nada extraño, pues pensé que, sencillamente, la hija de Ellie se había quedado embelesada mirando la llama. Pero después, cada vez que Alice pasaba junto a ella mientras ayudaba a mi madre a recoger la mesa, el bebé seguía con sus ojillos azules los movimientos de la niña. De repente sentí un escalofrío, a pesar de que hacía calor en la cocina.

Un rato después subí a mi antiguo dormitorio. Me senté en la mecedora, junto a la ventana, y miré fuera. Era como si nunca me hubiese marchado de casa.

Mientras contemplaba el paisaje, mirando hacia el norte, hacia el Monte del Ahorcado, pensé en el bebé y en su aparente interés hacia Alice. Entonces recordé lo que Ellie me había dicho antes, y volví a estremecerme. Su hija había nacido unos días antes, después de la medianoche, cuando había luna llena. Demasiada semejanza para ser una simple coincidencia: más o menos a la misma hora en que había nacido la niña de Ellie, Madre Malkin había sido arrastrada por el río. El Espectro me había avisado de que la bruja volvería. ¿Y si había vuelto antes incluso de lo que mi maestro había predicho? Él suponía que Madre Malkin estaría «infestada», pero ¿y si se equivocaba? ¿Y si la bruja se había liberado de sus huesos, y su espíritu había poseído al bebé de Ellie en el mismo momento del nacimiento?

Esa noche no pegué ojo. Sólo había una persona con la que podía hablar de mis temores, y esa persona era mi madre. Lo complicado era conseguir hablar con ella a solas sin llamar la atención de los demás.

Mamá cocinaba y se dedicaba a otros quehaceres que la mantenían ocupada casi todo el día, y normalmente no habría sido difícil hablarle en la cocina porque yo tenía cosas que hacer cerca de allí, puesto que Jack me había encargado el trabajo de arreglar la fachada del granero. Antes del anochecer creo que llevaba clavados varios cientos de clavos nuevos y relucientes.

Sin embargo, el problema era Alice, pues mi madre la tenía cerca a todas horas y procuraba que trabajase con dureza, de manera que la niña tenía la frente cubierta de sudor; a pesar de que la fruncía debido al esfuerzo, no se quejó ni una sola vez.

Por fin encontré una oportunidad para hablar a solas con mi madre después de la cena, cuando acabaron de fregar y de secar los platos. Esa mañana papá había acudido al gran mercado de primavera de Topley. Además de hacer negocios, aprovechaba la ocasión para ver a algunos de sus viejos amigos, cosa que casi nunca podía hacer. Así pues, estaría fuera de casa un par de días o tres. Jack tenía razón: era verdad que parecía cansado, y de ese modo reposaría del trasiego de la granja.

Mamá le había dicho a Alice que subiese a su alcoba a descansar un poco; Jack se relajaba en el salón, con los pies en alto, y Ellie estaba arriba tratando de arañar media hora de sueño antes de que el bebé se despertase otra vez para comer. Así pues, sin perder ni un segundo, empecé a contarle a mi madre el motivo de mis temores. Ella se había sentado en su mecedora, pero casi no conseguí decir la primera frase cuando dejó de mecerse. Me escuchó con atención. Le hablé de mis miedos y de las razones por las que sospechaba del bebé. Pero su rostro permaneció tan inmóvil y sereno que no podía adivinar lo que estaba pensando. Nada más pronunciar la última palabra, se puso en pie.

—Aguarda aquí —dijo—. Tenemos que aclarar este asunto de una vez por todas.

Salió de la cocina y subió la escalera. Cuando regresó, traía en brazos a la recién nacida, envuelta en el chal de Ellie.

—Coge la vela —me indicó mientras se dirigía a la puerta.

Salimos al patio. Mamá caminaba deprisa, como si supiera exactamente adónde iba y lo que pensaba hacer. Anduvimos hasta el otro lado del montículo de estiércol del ganado y nos detuvimos en medio del lodo, en el borde del estanque, que era lo bastante profundo y grande para suministrar agua a nuestras vacas incluso en los meses más secos del estío.

—Mantén la vela bien alta para que podamos verlo todo —dijo mamá—. No quiero que nos quedemos con dudas.

A continuación, para mi espanto, estiró los brazos y sostuvo al bebé por encima de las aguas oscuras y serenas.

—Si flota, la bruja está en su interior —aseguró mamá—. Si se hunde, es inocente. Muy bien, vamos a verlo...

—¡No! —grité abriendo la boca sin control alguno y hablando a toda velocidad, como si las palabras se adelantasen a mis pensamientos—. No lo hagas, por favor. Es el bebé de Ellie.

Por un instante pensé que iba a soltar a la niña de todos modos. Pero entonces sonrió, volvió a estrecharla contra su pecho y la besó en la frente con mucha delicadeza.

—Claro que es el bebé de Ellie, hijo mío. Basta con mirarla. De todos modos, la «zambullida» es una prueba que sólo aplican los idiotas y, además, no da resultado. Normalmente, atan de pies y manos a la pobre mujer y la tiran al agua profunda y tranquila. Pero el hecho de que se hunda o flote es cuestión de suerte y del tipo de cuerpo que tenga. No tiene nada que ver con la brujería.

—¿Y qué me dices de la manera en el que el bebé mira de forma constante a Alice? —pregunté.

Mamá sonrió e hizo un gesto negativo con la cabeza.

—Los ojos de un recién nacido no pueden enfocar correctamente —me explicó—. Seguro que lo que le llamaba tanto la atención era la luz de la vela, nada más. Recuerda que Alice estaba sentada cerca del candelabro. Después, cada vez que Alice pasaba a su lado, seguramente los ojos del bebé sólo reaccionaban al cambio de luz. No pasa nada. No hay nada de qué preocuparse.

—Pero ¿y si la niña de Ellie está poseída? —pregunté—. ¿Y si dentro de ella hay algo que no podemos ver?

—Mira, hijo, yo he traído cosas buenas y cosas malas a este mundo, y reconozco el mal en cuanto lo veo. Esta niña es buena, y en su interior no hay nada de lo que debamos preocuparnos. Nada en absoluto.

—De todos modos, ¿no te parece raro que el bebé de Ellie naciera casi al mismo tiempo que moría Madre Malkin?

—En realidad no —respondió mamá—. Así es la vida. A veces, cuando algo malo deja este mundo, llega algo bueno en su lugar. Por mi experiencia, no es la primera vez que pasa.

Por supuesto, me di cuenta entonces de que mamá en ningún momento se había planteado soltar al bebé y que únicamente había querido hacerme recapacitar, pero mientras cruzábamos el patio, las rodillas seguían temblándome sólo de pensarlo. Fue entonces, al llegar a la puerta de la cocina, cuando recordé algo.

—El señor Gregory me dio un librito que trata sobre todo lo relacionado con la posesión —dije—. Me encargó que lo leyera con atención, pero lo malo es que está escrito en latín y sólo llevo tres clases.

—No es mi idioma preferido —repuso mi madre deteniéndose un instante ante la puerta—. Veré lo que puedo hacer, pero habré de dejarlo para cuando vuelva, pues creo que esta noche tendré que salir. Entretanto, ¿por qué no le preguntas a Alice? A lo mejor ella te ayuda.

Mamá tenía razón: esa noche tuvo que salir. Muy poco después de la medianoche, llegó a buscarla un carromato, cuyos caballos estaban empapados de sudor. Al parecer, la esposa de un granjero estaba pasándolo muy mal, ya que llevaba de parto más de un día y una noche. Además, estaba a mucha distancia, a más de treinta kilómetros al sur. Eso significaba que mamá estaría fuera de casa un par de días o más.

En el fondo, no quería pedir ayuda a Alice con el texto en latín porque sabía que el Espectro no estaría de acuerdo. Al fin y al cabo era un libro de su biblioteca, y no le habría hecho gracia que Alice lo tocase. Pero aun así, ¿qué otra opción me quedaba? Desde que había llegado a casa, no había dejado de pensar en Madre Malkin y no conseguía quitármela de la cabeza. Era sólo por instinto, por puro presentimiento, pero tenía la impresión de que la bruja estaba en algún lugar, en medio de la oscuridad, y que a cada noche que pasaba se acercaba cada vez más.

Así pues, la noche siguiente, después de que Jack y Ellie se hubieron ido a dormir, llamé a la puerta de la alcoba de Alice con los nudillos, suavemente. No podía pedirle el favor durante el día, pues siempre estaba ocupada, y si Ellie y Jack se enteraban, no les haría gracia. Sobre todo teniendo en cuenta lo poco que a Jack le gustaba mi oficio de espectro.

Tuve que llamar dos veces antes de que Alice abriese la puerta. Pensé que tal vez ya estuviese dormida, pero cuando me abrió, vi que aún no se había mudado y no pude evitar mirarle los zapatos de punta. En el tocador había una vela, colocada cerca del espejo. Acababa de apagarla y todavía humeaba.

—¿Puedo pasar? —pregunté sosteniendo en alto mi vela para iluminarle la cara desde arriba—. Necesito consultarte una cosa. —Alice asintió. Me dejó entrar y cerró la puerta—. Tengo un libro que debo leer, pero está escrito en latín. Y mi madre me ha dicho que tal vez podrías ayudarme.

—¿Dónde está? —preguntó Alice.

—Lo tengo en el bolsillo. Sólo es un librito. No se debe de tardar mucho en leerlo, si se sabe latín.

—Es que yo ya tengo bastante trabajo —se quejó suspirando de cansancio—. ¿De qué va?

—De la posesión. El señor Gregory cree que Madre Malkin podría volver a buscarme y que recurrir a alguna forma de posesión.

—Pues vamos a echarle un vistazo, entonces —repuso ella y me tendió la mano. Dejé mi vela junto a la silla, rebusqué en el bolsillo de los pantalones y saqué el librito. Lo hojeó sin decir nada.

—¿Conseguirás leerlo? —pregunté.

—No veo por qué no. Lizzie me enseñó, y ella sabe latín como nadie.

—Entonces, ¿me ayudarás?

No contestó, pero en cambio se arrimó el libro a la cara y lo olisqueó haciendo mucho ruido.

—¿Estás seguro de que merece la pena? —preguntó—. Lo ha escrito un cura, y normalmente no saben mucho del tema.

—El señor Gregory dijo que era la «obra cumbre» —respondí—, lo cual significa que es el mejor libro escrito sobre el tema.

Al decir eso, Alice alzó la vista del libro y, aunque me sorprendió, vi que su mirada estaba cargada de furia.

—Ya sé lo que significa «obra cumbre» —replicó—. ¿Crees que soy idiota o algo así? Llevo años estudiando, mientras que tú apenas acabas de empezar. Lizzie tenía un montón de libros, pero ahora todos están quemados. Todo ha sido pasto de las llamas.

Murmuré que lo sentía, y ella me sonrió.

—Lo malo es —siguió diciendo, ahora en un tono repentinamente amable—, que para leerlo voy a necesitar tiempo y ahora estoy demasiado cansada para empezar. Mañana tu madre seguirá fuera y yo estaré tan liada como siempre, y aunque tu cuñada me ha prometido que me ayudará, estará ocupada con el bebé todo el rato y yo me pasaré prácticamente todo el día cocinando y limpiando. Si tú me echases una mano...

No supe qué decir. Yo tenía que ayudar a Jack, así que tampoco me quedaba mucho tiempo libre. La cuestión era que los hombres nunca cocinaban ni limpiaban, y no sólo era así en nuestra granja, sino que en todo el condado pasaba lo mismo. Los hombres trabajaban en la granja y pasaban el día al aire libre, sin importarles el tiempo que hiciera, y cuando volvían a casa, las mujeres tenían puesta ya en la mesa la comida recién hecha. La única vez que ayudábamos en la cocina era el día de Navidad: fregábamos los platos como un detalle especial hacia mamá.

Parecía que Alice me leyera el pensamiento, porque en ese momento su sonrisa se hizo más amplia.

—No te costará tanto, ¿verdad que no? —dijo—. Si las mujeres dan de comer a los pollos y echan una mano con la cosecha, ¿por qué no iban los hombres a ayudar en la cocina? Sólo tendrás que ayudarme a lavar los platos. Aunque, antes de ponerme a cocinar, habrá que limpiar también algunos cacharros...

Accedí a ayudarla. ¿Qué otra posibilidad tenía? Pero deseé que Jack no me pillase con las manos en la masa. No lo entendería.

Al día siguiente me levanté aún más temprano de lo habitual y me las ingenié para fregar los cacharros antes de que Jack bajase a la cocina. Después me tomé mi tiempo para desayunar tranquilamente, masticando cada bocado con lentitud, cosa poco propia en mí y suficiente para provocar alguna que otra mirada recelosa en Jack. Cuando mi hermano salió al campo, lavé la loza lo más deprisa que pude y me dediqué a secarla. Debería haber supuesto lo que iba a pasar, porque conocía bien a Jack y sabía que no tenía mucha paciencia.

Entró en el patio refunfuñando y lanzando exabruptos.

Me vio por la ventana y se quedó atónito. Escupió al suelo, entró en la casa y abrió de un empujón la puerta de la cocina.

—Cuando estés listo —dijo con tono sarcástico—, puedes salir a trabajar. Hay tareas de hombre esperando. Puedes empezar por comprobar el estado de las pocilgas. Narizotas viene mañana, y hay que sacrificar cinco cerdos, pero no queremos pasar el día entero persiguiendo gorrinos desperdigados.

Narizotas era el apodo con que llamábamos al matarife. Jack tenía razón: a veces los gorrinos se ponían como locos de miedo cuando Narizotas venía a hacer su trabajo, y si la cerca tenía algún tablón suelto, los cerdos podrían escaparse.

Jack dio media vuelta para salir, pero de pronto lanzó un improperio. Acudí a la puerta para ver qué pasaba. Sin querer, había pisado un sapo enorme y lo había aplastado hasta dejarlo hecho papilla. Se suponía que daba mala suerte matar a una rana o a un sapo, y Jack soltó otra palabrota, frunciendo tanto el entrecejo que sus pobladas cejas negras se juntaron en el centro. Apartó el sapo muerto de una patada, y el bicho fue a parar debajo del desagüe. Jack se marchó moviendo la cabeza. Yo no entendía por qué estaba tan irritado. Nunca se ponía de tan mal humor.

Me quedé en casa y sequé hasta el último cacharro. Ya que me había sorprendido, terminaría la faena. Además, los cerdos apestaban, y no tenía ningunas ganas de cumplir el encargo de mi hermano.

—No te olvides del libro —me recordó Alice cuando abrí la puerta para salir. Y me dedicó una extraña sonrisa.

No volví a hablar con Alice a solas hasta la noche, una vez que Jack y Ellie hubieron subido a dormir. Pensé que tendría que ir a su habitación de nuevo, pero antes de que me decidiera a hacerlo, ella bajó a la cocina con el libro y se sentó en la mecedora de mi madre, junto a los rescoldos del fuego.

—Fregaste muy bien las cazuelas. Eso quiere decir que debes de estar ansioso por averiguar lo que dice aquí —comentó Alice dando unas palmaditas en el lomo del libro.

—Si vuelve la bruja, quiero estar preparado y, por lo tanto, necesito saber lo que he de hacer. El Espectro dijo que seguramente estará «infestada». ¿Sabes algo de eso? —Alice abrió mucho los ojos y asintió—. Así pues, tengo que estar preparado. Si en ese libro hay algo que pueda ayudarme, necesito saberlo.

—Este cura no es como los demás —comentó Alice tendiéndome el librito—. Sobre todo, sabe de lo que habla. A Lizzie le gustaría este libro más que cualquier pastel de medianoche.

Me lo guardé en el bolsillo de los pantalones, arrimé un taburete al otro lado de la lumbre, delante de las brasas, y empecé a hacerle preguntas a Alice. Al principio fue verdaderamente difícil porque ella no colaboraba mucho. Y lo que conseguí sonsacarle sólo me hizo sentir mucho peor.

Comencé por el extraño título: *Los malditos, los mareados y los desesperados*. ¿Qué quería decir? ¿Por qué titular así un libro?

—La primera palabra es típica de la jerga de los curas —contestó Alice arqueando hacia abajo las comisuras de los labios en una mueca de contrariedad—. Así llaman a la gente que hace las cosas de una manera diferente que ellos: personas como tu madre, que no van a misa ni rezan las oraciones apropiadas; personas que no son como ellos o personas zurdas —añadió, y me dedicó una sonrisa cómplice.

»La segunda palabra resulta de mayor utilidad —continuó—. Un cuerpo recién poseído no tiene mucho equilibrio, sino que se cae una y otra vez. Ya ves, el espíritu que posee necesita tiempo para acomodarse en su nuevo cuerpo (es como intentar andar con zapatos acabados de estrenar), y además, esa adaptación también provoca mal humor. Has de tener en cuenta que alguien tranquilo y plácido puede atacar sin previo aviso. Eso te servirá de pista.

»En cuanto a la tercera palabra, no tiene ningún misterio: una bruja que en su día tuvo un cuerpo humano sano está ansiosa por conseguir otro. Y en cuanto lo consigue, se desespera por conservarlo y hará lo que sea, cualquier cosa, antes que renunciar a él sin pelear. Por eso los poseídos son tan peligrosos.

—Si viniera aquí, ¿sería peligrosa? —pregunté—. Si estuviese infestada, ¿a quién intentaría poseer? ¿A mí? ¿Trataría de herirme de ese modo?

—Lo haría si pudiera —respondió Alice—. Pero no es cosa fácil, sobre todo siendo quien eres. También le gustaría utilizarme a mí, pero no le daré esa oportunidad. No, irá a buscar al más débil, al más asequible.

—¿Lo intentará con el bebé de Ellie?

—No, la niña no le serviría. Tendría que esperar a que creciera. Madre Malkin nunca ha tenido mucha paciencia y, después de haber estado atrapada en esa fosa del jardín del viejo Gregory, seguro que ahora está aún más impaciente. Si a quien quiere hacer daño es a ti, primero buscará un cuerpo fuerte y sano.

—¿Ellie, entonces? ¡Elegirá a Ellie!

—¿Es que no te enteras de nada? —repuso Alice, moviendo la cabeza, atónita—. Ellie es fuerte, y le costaría conseguirla. En cambio, los hombres son mucho más fáciles, y especialmente uno que actúe más con el corazón que con la cabeza, es decir, un hombre capaz de enfurecerse sin detenerse a pensar.

—¿Jack?

—Será Jack, seguro. Imagina lo que sería tener al fortachón de Jack persiguiéndote. Pero el libro tiene razón en un detalle: es más fácil enfrentarse a un cuerpo recién poseído porque, aunque esté desesperado, también está mareado.

Saqué el cuaderno de notas y escribí lo que me pareció relevante. Alice no hablaba tan deprisa como el Espectro, pero enseguida cogió velocidad, y al poco rato ya me dolía la muñeca. Cuando llegó al asunto realmente importante (cómo enfrentarse a un poseído), repitió en numerosas ocasiones que el alma original seguía aún atrapada en el cuerpo poseído. Es decir, si hacías daño al cuerpo, también harías daño a esa alma inocente. Así pues, matar al cuerpo para librarte del alma poseedora equivalía a un asesinato.

En realidad esa parte del libro me decepcionó, pues al parecer, no se podía hacer gran cosa. Como el autor era un sacerdote, opinaba que el exorcismo, empleando velas y agua bendita, era el mejor método para expulsar al poseedor y liberar a la víctima, pero reconocía que no todos los sacerdotes podían hacerlo y que muy pocos sabían exorcizar bien de verdad. Tuve la sensación de que algunos de los sacerdotes capaces de lograrlo debían de ser séptimos hijos de séptimos hijos, y que esa particularidad era la que realmente contaba.

Después de la charla, Alice dijo que estaba cansada y subió a acostarse. Yo también tenía sueño. Se me había olvidado lo duro que podía ser el trabajo en una granja, y me dolía todo el cuerpo. Subí a mi cuarto y me hundí gratamente en la cama deseando quedarme dormido. Pero abajo, en el patio, los perros empezaron a ladrar.

Pensando que tal vez algo los había alarmado, abrí la ventana, miré hacia el Monte del Ahorcado y aspiré una bocanada del fresco aire nocturno para calmarme y aclarar mis ideas. Poco a poco los perros fueron tranquilizándose y al final dejaron de ladrar.

Cuando estaba a punto de cerrar la ventana, la luna asomó por detrás de una nube. La luz de la luna puede mostrar la verdad de las cosas (eso me había dicho Alice), igual que aquella inmensa sombra mía había advertido a Lizzie *la Huesuda* de que había algo diferente en mí. Esta vez no había luna llena, tan sólo una luna menguante que casi parecía una C invertida. Sin embargo, me mostró algo nuevo, algo que no se vería sin su ayuda: gracias a su luz, divisé un tenue rastro plateado que descendía en zigzag por el Monte del Ahorcado, se metía por debajo de la cerca y atravesaba todo el prado norte, y luego cruzaba el henar del este y se perdía de vista tras el granero. Entonces pensé en Madre Malkin. Yo había visto el rastro plateado la noche en que la tiré al río. Y ahora aquí había otro rastro que parecía idéntico a aquél y que había dado conmigo.

Con el corazón en la boca, bajé sigilosamente la escalera, salí a hurtadillas por la puerta trasera y la cerré después con mucho cuidado. La luna se había escondido detrás de una nube, así que, cuando llegué a la parte trasera del granero, ya no se veía el rastro plateado. Sin embargo, aún había vestigios inconfundibles de que algo había descendido del monte en dirección a las instalaciones de nuestra granja, puesto que la hierba estaba aplastada, como si un caracol gigantesco se hubiera arrastrado por ella.

Aguardé a que la luna volviese a asomar para comprobar el tramo empedrado de detrás del granero. Al poco rato la nube se apartó, y lo que vi me asustó de verdad: el rastro plateado resplandecía a la luz de la luna y había tomado una dirección que no dejaba lugar a dudas, porque rodeaba la pocilga y reptaba hacia el otro lado del granero dibujando un amplio arco hasta llegar al extremo del patio. A continuación se dirigía a la casa y se detenía justo debajo de la ventana de Alice, donde teníamos una vieja trampilla de madera que protegía la escalera de bajada al sótano.

Unas cuantas generaciones atrás, el granjero que había vivido aquí destilaba cerveza casera y la vendía a las granjas de la región e incluso a un par de posadas. Debido a eso, la gente llamaba a nuestra propiedad la «Granja del Cervecero», aunque para nosotros era sencillamente nuestro hogar. Esa escalera se había construido para poder meter y sacar los toneles sin tener que entrar en la casa.

La trampilla seguía en su sitio, protegiendo la escalera, y mantenía todavía el enorme candado oxidado y las dos mitades de la portezuela bien cerradas. Pero entre ellas, en el lugar donde el filo de los tablones no llegaba a tocarse, quedaba una pequeña rendija. No sería más ancha que mi pulgar, pero el rastro de plata acababa exactamente ahí, y estaba seguro de que, fuera lo que fuese lo que se había arrastrado hasta ese punto, de alguna manera se había colado por la diminuta rendija. Madre Malkin había vuelto y estaba «infestada», es decir, su cuerpo era lo bastante blando y maleable para escurrirse por el hueco más estrecho.

Había entrado en el sótano.

Ahora ya no lo utilizábamos, pero lo recordaba perfectamente. Tenía el piso de tierra y estaba lleno de viejos toneles. Los tabiques de la casa eran gruesos y huecos, lo cual quería decir que la bruja pronto podría estar en cualquier punto del muro o de la casa.

Alcé la vista y distinguí el temblor de la llama de la vela en la ventana de la alcoba de Alice. Todavía estaba despierta. Entré en la casa y en cuestión de segundos me planté delante de la puerta del cuarto de la niña. Mi idea era llamar a la puerta de tal modo que Alice supiera que quería entrar, pero con sigilo suficiente para no despertar a nadie más. No obstante, al acercar los nudillos, a punto de golpear, percibí un sonido dentro de la habitación.

Oí la voz de Alice, y parecía que hablaba con alguien.

No me gustó lo que oía, pero igualmente llamé a la puerta. Aguardé unos instantes y, como Alice no respondía, arrimé la oreja. ¿Con quién podía estar hablando en su cuarto?

Ellie y Jack estaban ya acostados y, de todos modos, sólo percibía una voz, que era la de Alice, aunque sonaba un poco diferente. Me recordaba a algo que había oído antes. Cuando de repente recordé lo que era, despegué la oreja de la puerta, como si me hubiese quemado, y retrocedí un paso.

La voz de Alice subía y bajaba, como la de Lizzie *la Huesuda* cuando se asomó desde lo alto de la fosa mientras sostenía en cada mano un huesecillo blanco de dedo pulgar.

Casi antes de ser consciente de lo que estaba haciendo, agarré el pomo de la puerta, lo giré y abrí de par en par.

Alice canturreaba algo frente al espejo abriendo y cerrando la boca. Estaba sentada en el filo de una silla de respaldo recto, y miraba el espejo del tocador por encima de la llama de una vela. Respiré hondo y me acerqué sigilosamente para ver mejor.

Hacía algo de frío en la habitación, pues las noches de primavera en el condado son bastante frescas. Pero, a pesar de eso, Alice tenía la frente cubierta de perlas de sudor. Mientras la observaba, dos gotas se juntaron y le bajaron por el ojo izquierdo hasta la mejilla, como si fuese una lágrima. La niña se miraba fijamente al espejo, con los ojos como platos, pero cuando la llamé por su nombre, ni siquiera pestañeó.

Me acerqué por detrás de la silla y vi el reflejo del candelabro de bronce en el espejo, pero lo que me causó espanto fue que la cara que se veía por encima de la llama no era la de Alice, sino un rostro viejo, ajado y arrugado, con el cabello gris y blanco que le enmarcaba las demacradas mejillas como si fuesen cortinas. Era el rostro de una criatura que había pasado mucho tiempo en terreno húmedo y lúgubre. Entonces movió los ojos hacia la izquierda y se toparon con los míos. Eran dos puntos rojos de fuego. A pesar de la sonrisa que se le dibujó en la cara, los ojos ardían de furia y de odio.

No cabía duda: era el rostro de Madre Malkin.

¿Qué estaba pasando? ¿Alice estaba poseída por la bruja? ¿O de alguna manera estaba usando el espejo para comunicarse con Madre Malkin?

Sin pensar en lo que hacía, cogí el candelabro y lancé su pesada base al espejo, que se resquebrajó estrepitosamente, acompañado del resplandor y de los destellos de una lluvia de cristales. Mientras se hacía añicos, Alice lanzó un agudo y penetrante chillido.

Fue el peor grito que os podáis imaginar. Estaba cargado de sufrimiento, y me recordó el ruido que hacen a veces los cerdos en la matanza. Pero no sentí pena de Alice, aunque ahora estuviese llorando y tirándose del pelo, con los ojos desorbitados y llenos de horror.

También percibí los demás sonidos que enseguida llenaron la casa. El primero fue el llanto del bebé de Ellie, el segundo fue la profunda voz de un hombre soltando palabrotas y el tercero fue el de unas enormes botas que bajaban la escalera.

Jack entró en la habitación, furibundo. Miró el espejo roto y, a continuación, se dirigió hacia mí y alzó el puño. Supongo que debió de pensar que era culpa mía porque Alice continuaba gritando, mientras que yo sostenía el candelabro y tenía los nudillos llenos de cortes causados por las esquirlas de cristal.

En ese momento entró Ellie. En el brazo derecho llevaba al bebé, que seguía llorando a punto de explotar, pero con la otra mano sujetó a Jack y tiró de él hasta que mi hermano aflojó el puño y bajó el brazo.

—No, Jack —le suplicó—. ¿De qué serviría?

—No puedo creer que hayas hecho eso —exclamó Jack mirándome fijamente—. ¿Sabes cuántos años tenía ese espejo? ¿Qué crees que dirá papá ahora? ¿Cómo se sentirá cuando vea todo esto?

Sin duda, Jack estaba muy enfadado. Si despertar a todos los de la casa no había sido suficiente desastre, además había destrozado el tocador que había pertenecido a la madre de mi padre. Y como papá me había regalado su cajita de yesca, éste era el último objeto que conservaba de su familia.

Jack dio dos pasos hacia mí. La vela no se había apagado cuando golpeé el espejo, pero cuando él volvió a gritar, la llama empezó a temblar.

—¿Por qué lo has hecho? ¿Qué demonios te pasa? —rugió.

¿Qué podía decirle? Me limité a encogerme de hombros y a bajar la vista a mis botas.

—¿Y qué estás haciendo en esta habitación? —insistió Jack.

No respondí. Dijera lo que dijese, sólo empeoraría las cosas.

—Vete y no salgas de tu dormitorio —gritó Jack—. Me dan ganas de poneros a los dos de patitas en la calle.

Miré a Alice, que seguía sentada en la silla, con la cabeza entre las manos. Había dejado de llorar, pero le temblaba todo el cuerpo.

Cuando miré a Jack de nuevo, vi que la ira había dado paso al susto, pues estaba observando a Ellie, que de repente pareció que se tambaleaba. Antes de que mi hermano pudiera hacer ningún movimiento, Ellie perdió el equilibrio y se desvaneció contra la pared. Jack se olvidó del espejo unos segundos y se agachó sobre Ellie, asustado.

—No sé qué me ha pasado —dijo ella, muy nerviosa—. Me he mareado de repente. ¡Oh! ¡Jack! ¡Jack! ¡Casi se me cae la niña!

—La niña no se ha caído, está bien. No te angusties. Trae, deja que la coja yo... —En cuanto Jack cogió en brazos a la niña, él se tranquilizó—. De momento, recoge todo esto —me ordenó—. Mañana por la mañana hablaremos tú y yo.

Ellie se acercó a la cama y puso la mano en el hombro de Alice.

—Baja conmigo un ratito, Alice, mientras Tom recoge los cristales —dijo—. Prepararé algo de beber para las dos.

Al poco rato todos habían bajado a la cocina, dejándome a solas recogiendo los trozos de cristal. Unos diez minutos después bajé en busca de una escoba y un recogedor. Estaban sentados alrededor de la mesa de la cocina, bebiendo una infusión, con el bebé dormido en brazos de Ellie. Permanecían callados y nadie me ofreció una taza de infusión. Ni siquiera me miraron.

Subí y recogí todo lo mejor que pude, y volví a mi habitación. Me senté en la cama y me quedé mirando por la ventana, aterrado y solo. ¿Estaba Alice poseída? Al fin y al cabo, el rostro que miraba desde el otro lado del espejo había sido el de Madre Malkin. Y si estaba poseída, el bebé y los demás se encontraban en grave peligro.

Madre Malkin no había intentado hacer nada todavía, pero como Alice era pequeña en comparación con Jack, la bruja tendría que actuar con astucia y esperaría a que todos se fuesen a dormir. Yo era su presa principal. O quizás el bebé, pues la sangre de un niño aumentaría sus fuerzas.

¿Y si yo había roto el espejo a tiempo? ¿Habría roto el conjuro en el momento en que Madre Malkin se disponía a poseer a Alice? Otra posibilidad era que ésta, simplemente, hubiese estado conversando con la bruja a través del espejo. Aun así, no era una buena noticia porque significaba que tendría dos enemigos a los que enfrentarme.

Tenía que hacer algo, pero ¿qué? Mientras estaba ahí sentado, dándole vueltas a la cabeza y tratando de analizar la situación, alguien llamó a la puerta. Como creí que era Alice, no abrí. Entonces una voz me llamó por mi nombre en voz baja. Era Ellie, así que abrí la puerta.

—¿Podemos hablar aquí dentro? —preguntó—. No

quiero arriesgarme a despertar al bebé porque acabo de conseguir que se duerma.

Asentí, y Ellie entró en mi habitación y cerró sigilosamente la puerta.

—¿Estás bien? —preguntó con semblante preocupado.

Asentí con tristeza, pero no podía mirarla a los ojos.

—¿Quieres explicarme lo que ocurre? —pidió Ellie—. Eres un muchacho sensato, Tom, y seguro que has tenido buenas razones para hacer lo que has hecho. Quizá si me lo cuentas te sentirás mejor.

¿Cómo podía contarle la verdad si ella tenía un recién nacido al que cuidar? ¿Cómo iba a decirle que había una bruja suelta por la casa, una bruja a la que le gustaba la sangre de los niños? Entonces me di cuenta de que, por el bien del bebé, tendría que explicarle algo. Ellie debía saber lo mal que estaban las cosas. Tenía que convencerla para que se marchase.

—Ocurre algo, Ellie. Pero no sé cómo explicártelo.

—Empieza por el principio... —sugirió ella sonriendo.

—Alguien me ha seguido hasta aquí —dije mirándola fijamente a los ojos—. Una criatura malvada que quiere hacerme daño. Por eso rompí el espejo. Alice estaba hablando con ella y...

De repente los ojos de Ellie brillaron de furia.

—¡Cuéntale eso a Jack, y seguro que sentirás su puño en tu cara! ¿Quieres decir que has traído algo a la casa, ahora que tenemos un bebé al que proteger? ¿Cómo has podido? ¿Cómo se te ocurre hacer semejante cosa?

—No sabía lo que iba a pasar —protesté—. Acabo de descubrirlo esta noche y por ese motivo te lo estoy contando ahora. Tienes que marcharte de la casa y llevarte al bebé a un lugar seguro. Marchaos ahora, antes de que sea demasiado tarde.

—¿Cómo? ¿Ahora mismo? ¿En plena noche?

Asentí.

Ellie negó firmemente con la cabeza.

—Jack no se marcharía. Nada le haría abandonar su propio hogar a media noche. Absolutamente nada. No, esperaré. Pienso quedarme aquí y rezar mis oraciones como mi madre me enseñó. Ella decía que si rezas con todas tus fuerzas, nada tenebroso te hará daño. Y yo lo creo a pies juntillas. Además, podrías estar equivocado, Tom —añadió—. Eres joven y sólo estás empezando a aprender tu nuevo oficio; tal vez las cosas no sean como crees. En cualquier momento tu madre regresará. Si no vuelve esta noche, seguro que llega mañana. Ella sabrá lo que hay que hacer. Entretanto, mantente alejado de la alcoba de esa niña. Hay algo en Alice que no está bien.

Abrí la boca para replicar, con la intención de insistir hasta convencerla de que se marchase de casa, pero en ese momento Ellie puso cara de susto y se tambaleó. Tuvo que apoyar la mano en la pared para no caerse.

—Mira lo que has conseguido. Me flaquean las fuerzas sólo de pensar en lo que está pasando aquí.

Se sentó en mi cama y se sujetó la cabeza con las manos unos segundos, mientras yo la miraba con congoja, sin saber qué hacer ni qué decir.

Al cabo de un ratito se puso en pie.

—Tenemos que hablar con tu madre en cuanto vuelva a casa, pero no lo olvides, mantente alejado de Alice hasta que ella regrese. ¿Me lo prometes?

Así lo hice. Y con una sonrisa empañada de tristeza, Ellie volvió a su dormitorio.

No me di cuenta de lo que había ocurrido hasta que ella salió de mi cuarto...

Era la segunda vez que Ellie se había tambaleado y que decía que se sentía mareada. Que alguien se tambalee una vez podría ser casualidad. Quizá sólo estaba cansada. ¡Pero dos veces! Y estaba mareada. ¡Ellie estaba mareada, y eso era el primer síntoma de posesión!

Empecé a andar de un lado a otro. Seguro que me equivocaba. ¡Ellie no! No podía ser ella. Seguramente sólo estaba cansada. Al fin y al cabo, el bebé casi no la dejaba dormir. Pero era una mujer fuerte y sana, pues también se había criado en una granja y nunca se daba por vencida. Aunque tal vez todo eso sobre los rezos lo había dicho para que yo no sospechase de ella.

Pero ¿no me había dicho Alice que no sería fácil poseer a Ellie? También había dicho que, seguramente, la víctima sería Jack, pero lo cierto es que él no había dado muestras de sentirse mareado. Aun así, no cabía duda de que cada vez estaba más malhumorado y agresivo conmigo. ¡Si Ellie no lo hubiese retenido, me habría arrancado la cabeza de un puñetazo!

Pero claro, si Alice estaba compinchada con Madre Malkin, todo lo que me había dicho habría estado pensado para despistarme. ¡Ni siquiera podía fiarme de su traducción del libro del Espectro! ¡A lo mejor me había estado engañando desde el principio! Al no saber latín, no tenía manera de comprobar si era verdad lo que me había explicado.

Entonces me di cuenta de que podría ser cualquiera de ellos. ¡Cuando menos me lo pensara, me atacarían, y no tenía modo de saber quién lo haría!

Con suerte, mamá regresaría antes del alba. Ella sabría lo que se debía hacer. Pero como aún quedaban muchas horas para el amanecer, no podía permitirme el lujo de irme a dormir. Tendría que vigilar toda la noche. Aunque Jack o Ellie estuvieran poseídos, no me era posible hacer nada por remediarlo ni entrar en su dormitorio. Lo único que estaba en mi mano era vigilar a Alice.

Salí de mi cuarto y me senté en la escalera entre la puerta de Ellie y Jack y la mía. Desde ahí podía ver la puerta del cuarto de Alice, en el rellano de abajo. Si salía de su habitación, por lo menos podría avisar a los demás.

Y decidí que, si mamá no volvía, me marcharía al amanecer. Aparte de ella, sólo me quedaba otra persona a la que acudir para pedir ayuda...

Fue una larga noche, y al principio me sobresaltaba por el más mínimo ruido (un crujido en la escalera o un leve movimiento sobre los tablones del suelo de una de las habitaciones). Pero poco a poco fui sosegándome. La casa era vieja, y ésos eran los sonidos a los que estaba acostumbrado, aquellos que cabía esperar a medida que todo se aquietaba y se quedaba en silencio en plena noche. Sin embargo, al acercarse el momento del alba, empecé a sentirme intranquilo de nuevo.

Comencé a oír el ruido casi imperceptible de unos arañazos por dentro de los tabiques. Era como si unas uñas estuviesen agarrándose a la piedra, pero no siempre sonaba en el mismo punto. Algunas veces estaba por encima de los escalones de la izquierda, otras abajo, cerca de la alcoba de Alice. Era un ruido tan débil que me costaba distinguir si me lo estaba imaginando o si era real. Pero me entró frío, mucho frío, y eso me dijo que el peligro se acercaba.

Después los perros empezaron a ladrar, y en cuestión de minutos pareció que los demás animales de la granja se habían vuelto locos. Los peludos gorrinos chillaban tan fuerte que habríais pensado que el matarife había llegado ya. Y por si no fuera suficiente, aquella algarabía provocó el llanto del bebé.

Yo tenía tanto frío que me temblaba todo el cuerpo. ¡Debía hacer algo!

Cuando me enfrenté a la bruja en la orilla del río, mis manos habían sabido lo que tenían que hacer. En cambio, esta vez fueron mis piernas las que se anticiparon a mi mente: me puse de pie y eché a correr. Aterrado, con el corazón palpitándome a toda velocidad, bajé la escalera a saltos, lo cual añadió aún más ruido. Tenía que salir de la casa y escapar de la bruja. No me importaba nada más. No me quedaba ni pizca de valor.

Capítulo 13
Cerdos peludos

Salí corriendo de la casa y me dirigí al norte, derecho hacia el Monte del Ahorcado. No paré hasta llegar al prado norte. Necesitaba ayudaba, y tenía que ser inmediatamente. Pensé en volver a Chipenden porque el único que podía ayudarme era el Espectro.

De repente, al llegar a la tapia de la finca, los animales se callaron. Me di la vuelta y eché un vistazo a la granja. Detrás de ella lo único que alcanzaba a ver era el camino de tierra que serpenteaba a lo lejos, como una mancha oscura sobre el tapiz grisáceo de los campos de cultivo.

Fue entonces cuando vi una luz en el camino. Una carreta se acercaba a la granja. ¿Sería mi madre? Por unos instantes esa visión me llenó de esperanza, pero cuando la carreta se aproximó a la verja de la granja, oí que alguien carraspeaba muy fuerte, como si reuniera flemas en la garganta, y a continuación lanzó un escupitajo. Era Narizotas, el matarife. Tenía que sacrificar a cinco de nuestros cerdos peludos más grandes. Una vez sacrificados, había que despellejarlos uno por uno, y al parecer había decidido empezar la faena lo antes posible.

A mí nunca me había hecho ningún daño, pero siempre me alegraba cuando terminaba su trabajo y se marchaba. Tampoco a mi madre le había gustado nunca aquel hombre, porque le desagradaba su manía de carraspear y de escupir espesas flemas en el patio.

Narizotas era corpulento, más alto incluso que Jack, y tenía unos antebrazos muy musculosos que le eran necesarios para su oficio, pues algunos cerdos pesaban más que un hombre y luchaban como locos para escapar del cuchillo. Sin embargo, no todo el cuerpo de Narizotas era puro músculo, puesto que por debajo de la camisa, que siempre le quedaba corta y la llevaba con los dos botones inferiores desabrochados, le asomaba una barriga gordinflona, blancucha y velluda, por encima del mandil de cuero marrón que se ponía para evitar que los pantalones se le manchasen de sangre. No debía de tener mucho más de treinta años, y su cabello era fino y lacio.

Decepcionado al ver que no era mi madre, me quedé observándolo. Desenganchó el farolillo de la carreta y empezó a descargar las herramientas. Se puso manos a la obra delante del granero, al lado de la pocilga.

Como ya había perdido demasiado tiempo, me dispuse a saltar la tapia y a meterme en el bosque, pero de pronto, por el rabillo del ojo vi que algo se movía más abajo, en la pendiente: una sombra venía hacia mí apresurándose en dirección a la escalerilla de la tapia, al final del prado norte.

Era Alice. No me hacía ninguna gracia que me siguiera los pasos, pero como era mejor enfrentarme a ella cuanto antes, me senté en la tapia de la finca a esperarla. Sin embargo, no tuve que aguardar mucho tiempo, pues subía la pendiente a todo correr.

Se detuvo a unos nueve o diez pasos de mí, con las manos en jarras, tratando de recuperar el aliento. La examiné de arriba abajo: llevaba el vestido negro y los zapatos de punta. Seguramente la había despertado al bajar la escalera. Para alcanzarme tan deprisa, debía de haberse vestido a toda velocidad y habría salido a buscarme de inmediato.

—No quiero hablar contigo —voceé, notando que mi voz sonaba temblorosa y más aguda de lo normal a causa de los nervios—. Y no pierdas el tiempo siguiéndome porque ya tuviste tu oportunidad. De ahora en adelante será mejor que te mantengas lejos de Chipenden.

—Lo que será mejor es que hables conmigo, por tu bien —repuso Alice—. Dentro de poco ya no tendremos tiempo porque te interesa saber una cosa cuanto antes: Madre Malkin está ya aquí.

—Lo sé —dije—. La he visto.

—Pero no sólo estaba en el espejo. No es únicamente eso. Ha vuelto y está en algún rincón de la casa —siguió Alice señalando colina abajo.

—Te he dicho que ya lo sé —repuse, enojado—. La luz de la luna me mostró el rastro que había dejado, y cuando subí a tu cuarto para decírtelo, ¿con qué me encontré? Con que tú estabas hablando con ella, y seguramente no era la primera vez.

Recordé la primera noche que subí al dormitorio de Alice para darle el libro. Cuando entré en la habitación, la vela todavía humeaba delante del espejo.

—Seguro que la trajiste tú —la acusé—. Tú le dijiste dónde encontrarme.

—Eso no es verdad —replicó Alice en el mismo tono de enfado que yo, y dio unos tres pasos hacia mí—. Lo que quería era olisquearla y usé el espejo para averiguar dónde estaba. Pero no me di cuenta de que se encontraba tan cerca. Y como era demasiado fuerte para mí, no pude escapar. Menos mal que entraste en el momento preciso y que rompiste el espejo.

Quería creerla, pero ¿cómo podía fiarme de ella? Entonces dio un par de pasos más hacia mí. Me giré, a punto ya de saltar a la hierba del otro lado de la tapia.

—Voy a volver a Chipenden para avisar al señor Gregory —dije—. Él sabrá lo que hay que hacer.

—No hay tiempo para eso —dijo Alice—. Cuando regreséis, se habrá acabado todo. Hay que pensar en el bebé. Madre Malkin quiere hacerte daño, pero estará hambrienta de sangre humana, y la que más le gusta es la sangre joven porque es la que le da mayor fuerza.

El miedo había hecho que me olvidase del bebé de Ellie, pero Alice tenía razón. La bruja no debía de querer poseer a la recién nacida, pero seguro que deseaba la sangre de la niña. Y, en efecto, cuando yo volviese con el Espectro ya se habría acabado todo.

—Pero ¿qué puedo hacer? —pregunté—. ¿Qué posibilidades tengo de vencer yo solo a Madre Malkin?

Alice se encogió de hombros y curvó hacia abajo las comisuras de los labios.

—Eso es asunto tuyo. ¿Es que el viejo Gregory no te ha enseñado nada que te sea útil? Si no lo apuntaste en ese cuadernito, a lo mejor lo tienes en la cabeza. Lo único que tienes que hacer es recordarlo.

—No me ha contado mucho sobre brujas —repliqué sintiéndome repentinamente enojado con el Espectro. Casi toda mi formación hasta entonces se había limitado a los boggarts, excepto algún que otro apunte sobre fantasmas. Sin embargo, todos mis problemas habían sido por culpa de las brujas.

Todavía no me fiaba de Alice, pero después de lo que acababa de decirme, ya no podía marcharme a Chipenden porque no me daría tiempo de traer al Espectro. El aviso de Alice acerca del peligro que corría la niña de Ellie parecía bien intencionado, pero si Alice estaba poseída o si estaba de parte de Madre Malkin, esas palabras, precisamente, no me dejaban otra opción que la de bajar a la granja de nuevo, y servían para evitar que acudiese a avisar al Espectro y para mantenerme allí donde la bruja pudiese echarme el guante cuando a ella le viniese en gana.

Mientras bajaba la colina me mantuve alejado de Alice,

pero ya la tenía a mi lado cuando entré en el patio, y juntos cruzamos por delante del granero.

Narizotas estaba afilando los cuchillos. Al verme alzó la vista y me saludó haciendo un gesto con la cabeza. Yo hice lo mismo. Nada más saludarme, se quedó mirando a Alice sin decir nada y la repasó de arriba abajo dos veces. Entonces, inmediatamente antes de que llegásemos a la puerta de la cocina, Narizotas lanzó un largo y fuerte silbido. Aunque la cara del matarife se parecía más a la de un cerdo que a la de un donjuán, fue un silbido más bien propio de un ligón, y sonó a burla.

Alice hizo oídos sordos. Antes de preparar el desayuno tenía otra tarea que cumplir: fue directa a la cocina y empezó a ocuparse del pollo que íbamos a comer a mediodía. Estaba colgado de un gancho, junto a la puerta, con el cuello cortado y con las tripas sacadas ya la noche anterior. Se puso a limpiarlo con agua y sal, concentrando la vista en lo que hacía para no dejarse ni un solo rincón del pollo sin limpiar.

Fue entonces, mientras la observaba, cuando recordé por fin algo que podría servirme para vencer a un cuerpo poseído.

¡Sal y hierro!

No tenía ninguna certeza, pero merecía la pena intentarlo. El Espectro usaba esa mezcla para apresar a los boggarts en fosas, y tal vez daría resultado también con las brujas. Si se la echaba a alguien que estuviese poseído, a lo mejor expulsaría a Madre Malkin.

Como no me fiaba de Alice y no quería que me viera coger la sal, tuve que esperar a que terminase de limpiar el pollo y saliese de la cocina. Una vez que la tuve en mi poder, y antes de ir a ocuparme de mis tareas, me dirigí al taller de mi padre.

No tardé en encontrar lo que buscaba. Entre la vasta colección de limas del estante de encima de su banco de trabajo, escogí la más grande y áspera. Era una lima denominada «bastarda». Gracias a esa lima, cuando era pequeño podía pronunciar esa palabrota sin que me diesen un pescozón. Enseguida me puse a limar el filo de un viejo cubo de hierro. El chirrido me daba una dentera espantosa, pero a los pocos segundos otro sonido, mucho más fuerte, resonó por todas partes.

Era el grito de un gorrino en plena matanza. El primero de los cinco cerdos.

Sabía que Madre Malkin podía estar en cualquier parte, y si aún no había poseído a nadie, escogería a su víctima en el momento menos pensado. Debía concentrarme en lo que hacía y no bajar la guardia. Pero al menos ahora tenía algo con lo que defenderme.

Jack quería que ayudase a Narizotas, pero yo siempre tenía a mano una excusa. Le decía que debía terminar tal faena o empezar a hacer tal otra porque, si me entretenía ayudando a Narizotas, no podría vigilar a los demás. Por otra parte, como yo era un hermano que estaba de visita unos días, en vez de un extraño contratado para echar una mano, Jack no podía insistir demasiado. Aun así, casi lo hizo.

Al final, después de almorzar, con cara de muy malas pulgas, se vio obligado a ayudar a Narizotas él mismo. Era exactamente lo que yo quería, pues si Jack trabajaba delante del granero, me sería fácil vigilarlo de lejos. También recurrí a excusas para vigilar a Alice y a Ellie. Cualquiera de ellas podía estar poseída, pero si se trataba de Ellie, no habría muchas posibilidades de salvar al bebé, ya que la mayor parte del tiempo estaba en brazos de su madre o dormida en la cuna, junto a ella.

Tenía ya la sal y el hierro, pero no estaba seguro de que fuese suficiente. Lo mejor habría sido usar una cadena de plata. Incluso una cadena corta habría sido mejor que nada.

Una vez, de pequeño, oí hablar a mis padres sobre una cadena de plata que había pertenecido a mi madre. Nunca había visto que la llevase, pero quizá estaba guardada en algún lugar de la casa, tal vez en la despensa de debajo del desván, que mi madre siempre tenía cerrada con llave.

Sin embargo, la alcoba de mis padres no estaba cerrada con llave. En circunstancias normales, jamás habría entrado en su dormitorio sin permiso, pero estaba desesperado. Rebusqué en el joyero de mi madre: allí había broches y sortijas, pero ni rastro de una cadena de plata. Busqué por toda la habitación. Me sentía culpable mientras registraba los cajones, pero lo hice a pesar de todo. Creía que hallaría en ellos la llave de la despensa, pero no encontré nada.

Mientras rebuscaba, oí las pisadas de Jack, que subía la escalera. Me quedé inmóvil, casi sin atreverme a respirar, pero sólo subió a su dormitorio un momento y enseguida volvió a bajar. Después de esa interrupción, terminé el registro. No hallé nada, de modo que bajé a comprobar una vez más que cada cual seguía en su sitio.

Ese día no hacía nada de viento, pero cuando pasé por delante del granero se levantó un poco de brisa. El sol empezaba a ponerse y lo iluminaba todo con un resplandor cálido y rojizo, con la promesa de buen tiempo para el día siguiente. Delante del granero había ya tres cerdos muertos, colgados de unos grandes ganchos, patas arriba. Eran rosados, pues Narizotas acababa de quitarles el pellejo. El último todavía chorreaba sangre en un cubo. El matarife estaba de rodillas luchando con el cuarto gorrino, que se lo estaba poniendo muy difícil. Costaba saber cuál de los dos gruñía más fuerte.

Jack, con la pechera de la camisa empapada de sangre, me clavó la mirada al verme pasar, pero yo me limité a sonreír y a saludarle con un gesto de la cabeza. Estaban en plena matanza y aún les quedaba bastante trabajo por delante, así que todavía estarían ocupados hasta mucho después del anochecer. De momento no había percibido ni el menor atisbo de mareo, ni la más leve indicación de que alguien estuviese poseído.

Al cabo de una hora había anochecido. Jack y Narizotas trabajaban a la luz del fuego, que arrojaba sus temblorosas sombras por el suelo del patio.

El horror se desencadenó cuando fui al cobertizo de detrás del granero para coger una bolsa de patatas del almacén...

Oí un grito. Era un grito cargado de terror. El grito de una mujer en presencia de lo peor que podía ocurrirle.

Solté el saco de patatas, eché a correr hacia la parte delantera del granero y me detuve en seco, casi incapaz de creer lo que veían mis ojos.

Ellie se encontraba a unos veinte pasos de distancia, con los brazos extendidos hacia delante, gritando y chillando como si la estuviesen torturando. A sus pies, Jack estaba tumbado con toda la cara manchada de sangre. Pensé que Ellie gritaba por Jack. Pero no, era por Narizotas.

El matarife estaba vuelto hacia mí, como si estuviese esperando a verme aparecer. En la mano izquierda empuñaba su cuchillo favorito, el largo que siempre usaba para sajar la garganta de los gorrinos. Me quedé paralizado de espanto, pues entonces entendí el motivo del grito de Ellie: Narizotas sostenía al bebé con el brazo derecho y lo estaba acunando.

El matarife tenía las botas cubiertas de espesa sangre de cerdo, que seguía chorreándole del mandil. En ese momento arrimó el cuchillo al bebé.

—Acércate, niño —dijo—. Ven hacia aquí. —Y soltó una risotada.

Aunque era la boca de Narizotas la que se había abierto y cerrado al hablar, no era su voz la que había salido de ella, sino la de Madre Malkin. Tampoco aquella risa era la risa profunda y estruendosa de Narizotas, sino la aguda risa de la bruja.

Di un paso hacia Narizotas, lentamente. Luego otro más. Quería acercarme a él y salvar al bebé de Ellie. Intenté caminar más deprisa, pero no era capaz porque me pesaban los pies como si estuviesen hechos de plomo. Parecía que se tratara de una pesadilla en que cuando quieres correr, no puedes. Movía las piernas, pero tenía la impresión de que no me pertenecían.

De repente me di cuenta de otra cosa que me produjo un escalofrío: no me dirigía hacia Narizotas porque yo quería, sino porque Madre Malkin me había llamado. Ella me acercaba al matarife al paso que ella determinaba, me acercaba al cuchillo. Yo no acudía a rescatar a nadie, sino que iba a morir, pues me hallaba bajo una especie de hechizo, un hechizo de coacción.

Había sentido algo parecido en el río, pero mi mano y mi brazo izquierdos habían reaccionado a tiempo por sí mismos y habían golpeado a Madre Malkin y la habían echado al agua. No obstante, ahora mis extremidades eran tan impotentes como mi mente.

Estaba acercándome a Narizotas. Cada vez me hallaba más cerca de su cuchillo. Los ojos del matarife eran los ojos de Madre Malkin, y el hombre tenía la cara horriblemente hinchada. Era como si la bruja se la estuviese deformando desde el interior, le inflara los carrillos casi hasta hacerlos estallar, le abultara los ojos a punto de saltarle de las cuencas y le hinchara las cejas, que parecían dos escarpados precipicios. Debajo de ellas, los saltones ojos de Narizotas tenían fuego en el centro y expedían un rojizo y siniestro resplandor.

Di un paso más y noté un latido de mi corazón. Otro paso, y otro latido. Ahora estaba muy cerca de Narizotas. A cada paso que daba, notaba un latido.

Cuando sólo me quedaban unos cinco pasos para llegar al cuchillo, oí a Alice, que venía corriendo hacia nosotros y gritaba mi nombre. Por el rabillo del ojo vi que salía de la oscuridad al resplandor del fuego. Iba directa hacia Narizotas. Tenía la negra melena echada hacia atrás, como si estuviese corriendo hacia el centro de un vendaval.

Sin dejar de correr, lanzó con todas sus fuerzas un puntapié a Narizotas. Apuntó directamente encima del mandil de cuero, y vi cómo clavaba la punta del zapato en la barriga del matarife, de tal modo que sólo quedó fuera el tacón.

Narizotas abrió la boca, se dobló hacia delante y soltó al bebé de Ellie. Pero Alice se arrodilló con la agilidad de un gato y cogió a la niña un segundo antes de que cayera al suelo. Entonces dio media vuelta para mirar a Ellie.

El hechizo se esfumó en el preciso instante en que el puntiagudo zapato de Alice tocó la barriga de Narizotas, y volví a sentirme libre. Libre para dirigir los movimientos de mis extremidades. Libre para moverme. O bien libre para atacar.

Narizotas estaba casi doblado por la cintura, pero se irguió y, aunque había soltado al bebé, todavía tenía agarrado el cuchillo. Entonces vi que lo dirigía hacia mí, aunque el hombre se tambaleó un poco. Tal vez estaba mareado, o quizá sólo era una reacción ante el puntapié de Alice.

Liberado del hechizo, un abanico de sensaciones surgió en mi interior: sentía pena por lo que le habían hecho a Jack, espanto ante el peligro que había corrido el bebé de Ellie y rabia porque esto le hubiese pasado a mi familia. Y en ese momento me convencí de que había nacido para ser un espectro y convertirme en el mejor de todos los tiempos. También me convencí de que podía conseguir que mi madre se sintiese orgullosa de mí, y así lo haría.

Ya veis, en lugar de estar aterrado, sentía una mezcla de frío gélido y de fuego abrasador. En lo más hondo seguía furibundo, embargado por el ardor de la rabia a punto de estallar. Sin embargo, por fuera estaba frío como el hielo, mi mente se mantenía centrada y clara y respiraba con lentitud.

Metí las manos en los bolsillos de los pantalones, las saqué a toda prisa, con los puños repletos de lo que habían encontrado dentro de los bolsillos, y arrojé su contenido directamente a la cabeza de Narizotas: una cosa blanca salió de mi mano derecha y otra negra de la mano izquierda. Las dos sustancias se juntaron en el aire y formaron una nube blanca y negra en el momento en que le alcanzaron la cara y los hombros.

Sal y hierro. La misma mezcla que había sido tan eficaz para vencer a los boggarts. Hierro para quitarles fuerza, sal para abrasarlos. Virutas de hierro del filo del viejo cubo y sal de la alacena de mi madre. Sólo esperaba que tuviese el mismo efecto con las brujas.

Supongo que si te echan a la cara una mezcla como ésa, no te debe de causar grandes trastornos (como mucho, te haría toser y escupir). Pero el efecto en Narizotas fue mucho peor: primero abrió la mano y soltó el cuchillo; a continuación puso los ojos en blanco y se inclinó hacia delante lentamente hasta caer de rodillas; después se golpeó con muchas fuerza la frente en el suelo y giró la cara hacia un lado.

Algo espeso y pringoso empezó a salirle por la aleta izquierda de la nariz. Me quedé observándolo, incapaz de moverme, mientras poco a poco Madre Malkin asomó por la nariz del matarife y recobró la forma en que yo la recordaba. Era ella, de eso no cabía duda, pero en parte era igual que antes, y en parte parecía diferente.

Para empezar, medía menos de un tercio del tamaño que tenía cuando yo la había visto la última vez. Ahora los hombros no le llegaban mucho más arriba de mis rodillas, pero llevaba la misma capa larga de siempre, que le arrastraba por el suelo, y la mata de pelo gris y blanco le caía como antes por encima de los hombros jorobados, como dos cortinas enmohecidas. Lo que de verdad era diferente era la piel, que le brillaba de una manera extraña y estaba retorcida y estirada a la vez. Sin embargo, los ojos rojos de la bruja no habían cambiado. Los clavó en mí y luego dio media vuelta y empezó a alejarse hacia la esquina del granero. Parecía que se encogía cada vez más, y me pregunté si tal vez era porque la mezcla de sal y hierro estaba todavía haciendo efecto. No sabía qué más podía hacer, por lo que me limité a mirarla mientras se alejaba, demasiado cansado para moverme.

Alice no estaba satisfecha. Entregó el bebé a Ellie y luego se dirigió directamente hacia el fuego. Cogió un palo que estaba quemándose por un extremo, corrió hacia Madre Malkin y lo sostuvo delante de ella.

Yo sabía lo que Alice iba a hacer: en cuanto tocase a la bruja con la tea, Madre Malkin ardería. Pero algo en mi interior me decía que no podía permitir que eso ocurriera. Era demasiado horrible. Cuando Alice pasó por mi lado, la cogí por el brazo y le di un tirón para que soltase el palo.

Me miró enfurecida, y creí que estaba a punto de notar en mis carnes la patada con aquel zapato de punta. Pero, en lugar de eso, me sujetó por el antebrazo con tanta fuerza que me clavó las uñas.

—¡Como no te vuelvas más duro, no sobrevivirás! —siseó arrimando su cara a la mía—. Si te limitas a hacer lo que te dice el viejo Gregory, no será suficiente. ¡Morirás igual que los otros!

Me soltó y yo me miré el brazo. Tenía gotitas de sangre donde me había clavado las uñas.

—Tienes que quemar a las brujas para asegurarte de que no vuelvan —dijo Alice con un poco menos de rabia en la voz—. Meterlas en una fosa no sirve de nada, pues lo único que consigues es retrasar los acontecimientos. El viejo Gregory lo sabe, pero es demasiado blando para recurrir al fuego. Ahora ya es demasiado tarde...

Madre Malkin estaba perdiéndose de vista por la esquina del granero, e iba a meterse en las sombras. Al mismo tiempo seguía encogiéndose a cada paso que daba mientras la capa negra le arrastraba por el suelo a su espalda.

Fue entonces cuando me di cuenta de que la bruja había cometido un grave error: había cogido el camino equivocado, o sea, iba por el otro lado de la pocilga grande. En esos momentos ella era lo bastante menuda para pasar por debajo del tablón de menor altura.

Los cerdos habían pasado un día horrible. Cinco de ellos habían sido sacrificados y, después de tanto ruido y tanto follón, seguramente estaban aterrados. Así pues, no les iba a hacer mucha gracia (por decir lo mínimo) ver que alguien se metía en su pocilga. No era el mejor momento para entrar ahí. Además, los cerdos peludos y grandes se lo comen todo, absolutamente todo. Muy pronto a Madre Malkin le iba a tocar el turno de chillar. Los gritos duraron un buen rato.

—Lo que ha sucedido podría ser tan eficaz como quemarla —comentó Alice cuando los gritos cesaron. Veía la sensación de alivio en el rostro de la niña, y yo me sentía igual. Los dos estábamos contentos de que todo hubiese terminado. No obstante, estaba tan agotado que sólo respondí encogiéndome de hombros, sin saber muy bien qué pensar. Pero miré a Ellie y no me gustó lo que vi.

Ella estaba aterrada y horrorizada y nos miraba como si no pudiese creer lo que había pasado ni lo que habíamos hecho. Parecía que estuviese viéndome de verdad por primera vez y, de pronto, se hubiese dado cuenta de quién era yo.

También comprendí otra cosa: por primera vez entendí de verdad lo que se siente siendo aprendiz del Espectro. Hasta entonces había visto que la gente cambiaba de acera para evitar cruzarse con nosotros, y había comprobado que se estremecían o se irritaban porque habíamos atravesado sus aldeas, aunque nunca me lo había tomado como algo personal. Para mí, era una reacción al ver al Espectro, pero no a mí.

Sin embargo, no pude pasar por alto la actitud de Ellie ni esconderla en algún rincón de mi mente. Era una reacción dirigida hacia mí, y me estaba pasando en mi propia casa.

De repente me sentí más solo que en toda mi vida.

Capítulo 14
El consejo del Espectro

Pero no todo resultó tan mal, pues al fin y al cabo Jack no había muerto. No quise hacer demasiadas preguntas porque todos habían pasado un gran disgusto, pero era como si Narizotas, a cuyo lado se hallaba Jack, hubiese estado a punto de rajar la barriga del quinto cerdo, y un segundo después se hubiese vuelto loco de repente y hubiese atacado a mi hermano.

Sin embargo, en la cara de Jack sólo había sangre de cerdo. Narizotas lo había dejado inconsciente en el suelo, puesto que lo había golpeado con un madero, y luego había entrado en casa y había cogido al bebé. Quería usarlo como señuelo para que yo me acercase y agredirme así con el cuchillo.

Por supuesto, las cosas no pasaron exactamente como os lo estoy contando ahora. En realidad Narizotas no era el que hacía aquellas barrabasadas, sino que había sido poseído, y Madre Malkin había estado utilizando el cuerpo del matarife. Al cabo de un par de horas, Narizotas se recuperó y se marchó a su casa, aturdido y con la panza dolorida por el puntapié; parecía que no recordaba nada de lo que había sucedido, y ninguno de nosotros quisimos contárselo.

Esa noche nadie durmió mucho. Después de encender el fuego, Ellie se quedó en la cocina toda la noche porque no quería perder de vista al bebé ni un segundo, y Jack se acostó con dolor de cabeza, despertándose cada dos por tres para salir a vomitar al patio.

Una hora antes del alba, aproximadamente, mi madre volvió a casa. Tampoco ella parecía muy animada, como si algo hubiese salido mal.

Cogí su bolsa de viaje para meterla en casa.

—¿Estás bien, mamá? —pregunté—. Te veo cansada.

—No te preocupes, hijo. ¿Y aquí qué ha pasado? Noto que algo va mal con sólo mirarte a la cara.

—Es una larga historia —respondí—. Será mejor que entremos antes en casa.

Cuando fuimos a la cocina, Ellie se alegró tanto de ver a mi madre que rompió a llorar, y el bebé, al notarlo, se echó a llorar también. Entonces bajó Jack, y todos intentamos contarle a mi madre lo que había ocurrido, pero me rendí al cabo de unos segundos porque Jack empezó a vociferar como siempre.

Mamá lo hizo callar.

—Baja la voz, Jack —le ordenó—. Ésta sigue siendo mi casa, y no soporto los gritos.

A mi hermano no le hizo gracia que lo mandasen callar delante de Ellie, pero sabía que no debía discutir.

Mi madre fue preguntándonos uno a uno —empezando por Jack—, y le explicamos exactamente lo que había pasado. Yo quedé para el final, pero cuando me tocó hablar, mamá mandó a Ellie y a Jack a la cama para que pudiésemos conversar a solas.Tampoco es que ella dijese mucho, pues se limitó a escucharme con atención, y al terminar me cogió de la mano.

Por último, subió a la alcoba de Alice y pasó un buen rato charlando con ella sin nadie más.

Hacía menos de una hora que había amanecido cuando llegó el Espectro. De alguna manera, yo sabía que iba a presentarse. Aguardó junto a la verja y salí para contarle lo ocurrido. Mientras me escuchaba, se apoyaba en el cayado. Y al terminar, movió la cabeza con un gesto negativo.

—Ya había notado que algo iba mal, muchacho, pero no llegué a tiempo. De todos modos, lo hiciste bien. Usaste tu capacidad de iniciativa y te las ingeniaste para recordar algunas de las cosas que te había enseñado. Cuando todo falla, siempre se puede recurrir a la mezcla de sal y hierro.

—¿Debería haber dejado que Alice quemase a Madre Malkin? —pregunté.

El Espectro suspiró y se rascó la barba.

—Como te dije, es una crueldad quemar a una bruja, y a mí, personalmente, no me parece bien.

—Supongo que tendré que vérmelas nuevamente con Madre Malkin —comenté.

—No, muchacho —dijo sonriendo el Espectro—, puedes estar tranquilo porque no va a volver a este mundo. Sobre todo, después de lo que pasó al final. ¿Recuerdas lo que te dije de comerse el corazón de una bruja? Bueno, pues los cerdos lo hicieron por nosotros.

—No sólo el corazón. Se la zamparon enterita —puntualicé—. Entonces, ¿estoy a salvo? ¿En serio? ¿No podrá volver?

—Sí, estás a salvo de Madre Malkin, aunque te aguardan otros peligros tan horribles como ella, pero de momento estás a salvo.

Sentí un alivio inmenso, como si me hubiesen quitado un peso enorme de encima. Había estado viviendo en una pesadilla, y ahora, eliminada ya la amenaza que suponía Madre Malkin, el mundo parecía un lugar mucho más alegre y feliz. Al fin todo había terminado, y podía empezar a sentir ilusión de nuevo.

—Bueno, estarás a salvo hasta el momento en que cometas otro error estúpido —añadió el Espectro—. Y no me digas que no te equivocarás porque el que nunca se equivoca, nunca hará nada en la vida. Forma parte del aprendizaje. Bien, ¿y ahora qué hacemos? —preguntó entrecerrando los ojos al mirar hacia sol naciente.

—¿Con qué? —pregunté, sin entender a qué se refería.

—Con Alice, muchacho —respondió—. Todo apunta a que hay que meterla en una fosa. No veo otra solución.

—Pero al final ella salvó al bebé de Ellie —protesté—. Y también a mí me salvó la vida.

—Utilizó el espejo, muchacho, y eso es mala señal. Lizzie le enseñó muchas cosas. Demasiadas. Y nos ha demostrado que ya está preparada para usarlas. ¿Qué será lo siguiente que haga?

—Fue con buena intención. Quería encontrar a Madre Malkin.

—Tal vez, pero sabe demasiado y, además, es lista. De momento sólo es una niña, pero algún día será una mujer, y una mujer lista es peligrosa.

—Mi madre es lista —repuse, enojado por lo que había dicho—. Y buena. Todo lo que hace, lo hace por nuestro bien, y usa la inteligencia para ayudar a la gente. Un año, cuando yo era muy pequeño, los cadáveres del Monte del Ahorcado me asustaron tanto que no podía dormir. Mi madre subió allí de noche y les ordenó que se callasen. Estuvieron mudos durante meses.

Podría haber añadido que la mañana en que salí por primera vez con el Espectro, él me había dicho que no se podía hacer mucho con los cadáveres. Sin embargo, mamá había demostrado que eso no era cierto. Pero no se lo dije. Bastante había dicho ya, y no hacía falta añadir nada más.

El Espectro permaneció en silencio mientras contemplaba la casa.

—Pregúntele a mi madre lo que opina de Alice —sugerí—. Parece que se llevan bien.

—Iba a hacerlo de todos modos —repuso el Espectro—.

Ya va siendo hora de que tengamos una charla. Espérame aquí hasta que terminemos.

Me quedé mirándolo mientras cruzaba el patio. Antes de llamar a la puerta de la cocina, ésta se abrió, y mamá le dio la bienvenida desde el umbral.

Conseguí entender algunas de las cosas que se dijeron, pero aunque estuvieron hablando durante media hora, en ningún momento oí mencionar la palabra cadáveres. Cuando al final el Espectro salió al patio, mamá se quedó en la puerta. Entonces mi maestro hizo una cosa inusual, que nunca le había visto hacer antes. Al principio pensé que, sencillamente, inclinaba la cabeza para despedirse de ella, pero había algo más en aquel gesto, pues movió también los hombros. Fue un movimiento leve, pero tan claro que no había duda: al despedirse de mi madre, el Espectro había hecho una pequeña reverencia.

Cuando cruzó el patio, parecía sonreír para sus adentros.

—Me marcho ya de regreso a Chipenden —anunció—, pero creo que a tu madre le gustaría que te quedases una noche más. De todos modos, voy a dejar que decidas tú —añadió—. Puedes volver con la niña y la meteremos en la fosa, o bien puedes llevarla con su tía de Staumin. Tú decides. Usa el instinto para decidir lo que convenga. Sabrás lo que hay que hacer.

Entonces se marchó, dejándome con la cabeza dando vueltas. Yo sabía lo que quería hacer con Alice, pero no deseaba meter la pata.

Así pues, iba a poder cenar otra vez la deliciosa comida de mi madre.

Papá regresó entonces, pero aunque mi madre se alegró de verlo, había algo que no iba del todo bien, como si hubiese una nube invisible que oscurecía el ambiente en torno a la mesa. Así pues, no fue precisamente una fiesta de celebración, y casi nadie dijo nada.

No obstante, la cena fue deliciosa (uno de los pucheros especiales de mi madre), y no me importó la falta de conversación. Estaba demasiado ocupado llenándome el estómago y sirviéndome otro plato más antes de que Jack dejase limpia la cazuela.

Mi hermano había recuperado el apetito, pero estaba un poco apagado, como todos los demás. Había sufrido mucho, y prueba de ello era el enorme chichón que le adornaba la frente. A Alice no le había contado lo que me había dicho el Espectro, pero tuve la sensación de que ella ya lo sabía; ella no dijo ni pío durante la cena. No obstante, la más callada era Ellie. A pesar de la alegría de recuperar a su bebé, lo que había presenciado la había trastornado muchísimo y yo sabía que le iba a costar superarlo.

Cuando los demás subieron a acostarse, mi madre me pidió que me quedase en la cocina. Me senté junto al fuego, igual que la noche anterior a mi marcha de casa para convertirme en aprendiz. Había algo en el semblante de mi madre que me hacía pensar que esta conversación iba a ser diferente. La vez anterior se había mostrado firme conmigo, pero esperanzada y segura de que las cosas saldrían bien. Sin embargo, ahora parecía triste e insegura.

—Llevo casi veinticinco años ayudando a dar a luz a bebés en todos los rincones del condado —dijo después de sentarse en su mecedora—, y he perdido a unos cuantos. Aunque es muy triste para los padres, es ley de vida. Lo mismo pasa con los animales de granja. Tú mismo lo has visto, Tom. —Asentí. Cada año nacía algún cordero muerto, era algo que cabía esperar—. Pero esta vez ha sido peor —siguió diciendo mi madre—. Esta vez han muerto la madre y el bebé, cosa que nunca me había pasado antes. Sé cuáles son las hierbas que debo usar y cómo combinarlas; sé lo que hay que hacer en caso de hemorragia grave; sencillamente, sé lo que debe hacerse. Y esta madre era joven y fuerte. No debería haber muerto, pero no logré salvarla. Hice todo lo que pude, pero no conseguí salvarla. Y esto me ha causado un gran dolor aquí, en el corazón.

Mamá emitió una especie de sollozo y se apretó el pecho. Fue un momento horrible. Pensé que iba a llorar, pero entonces respiró hondo y su rostro recobró el ánimo.

—Pero mamá, a veces las ovejas mueren cuando están de parto, y también las vacas —dije—. Algún día tenía que morir una parturienta. Es un milagro que, después de tantos años, nunca te hubiera pasado.

Hice todo lo posible por consolarla, pero no fue fácil. Se lo estaba tomando muy mal. Aquella desgracia hacía que lo viera todo negro.

—Las tinieblas avanzan cada vez más deprisa, hijo —dijo entonces—. Y está ocurriendo antes de lo que creía. Había albergado la esperanza de que tuvieras tiempo de hacerte un hombre hecho y derecho, de que atesorases experiencia. Así que vas a tener que escuchar atentamente todo lo que diga tu maestro. Hasta el detalle más insignificante será importante. Tendrás que prepararte lo más deprisa que puedas y esforzarte con las clases de latín. —Hizo una pausa y me tendió la mano—. Enséñame el libro —me pidió.

Cuando se lo di, hojeó las páginas deteniéndose de vez en cuando para leer alguna frase.

—¿Te ha resultado útil? —preguntó al final.

—No mucho —admití.

—Lo escribió tu maestro. ¿No te lo ha dicho?

Negué con la cabeza.

—Alice me dijo que lo había escrito un sacerdote.

—En su día, tu maestro fue sacerdote —repuso mi madre con una sonrisa—. Así fue como empezó. Sin duda te lo contará él mismo algún día. Pero tú no se lo preguntes y deja que te lo cuente cuando considere que ha llegado el momento.

—¿De eso hablabais el señor Gregory y tú? —pregunté.

—De eso y de otras cosas, pero sobre todo hablamos de Alice. Me preguntó qué creía yo que debería hacerse con ella. Le respondí que debía dejarte a ti esa decisión. Así pues, ¿ya te has decidido?

—Todavía no estoy seguro de lo que voy a hacer —contesté encogiéndome de hombros—, pero el señor Gregory dijo que me fiara de mi instinto.

—Buen consejo, hijo mío —repuso ella.

—Pero ¿tú qué opinas, mamá? —pregunté—. ¿Qué le dijiste al señor Gregory sobre Alice? ¿Es una bruja? Dime eso por lo menos.

—No —respondió mamá con parsimonia, sopesando cuidadosamente sus palabras—. Alice no es una bruja, pero algún día lo será. Nació con corazón de bruja y no le queda otro remedio que seguir ese camino.

—Entonces deberíamos meterla en la fosa de Chipenden —dije con pesar, agachando la cabeza.

—Recuerda lo que has aprendido —contestó mi madre con firmeza—. Recuerda lo que te ha enseñado tu maestro: hay varios tipos de brujas.

—Como las «benignas» —repuse—. ¿Quieres decir que a lo mejor Alice se convierte en una bruja buena que ayuda a los demás?

—Puede que sí. O puede que no. ¿Sabes lo que creo? Quizá no quieras oír lo que te voy a decir.

—Sí quiero —afirmé.

—Alice podría acabar no siendo ni una bruja buena ni una mala, sino algo intermedio. Pero si se entera, tal vez se volvería muy peligrosa. Esa niña podría ser el azote de tu vida, una peste, un veneno para cualquier cosa que hagas. Pero también sería capaz de convertirse en tu mejor y más poderosa amiga, con cuya ayuda todo sería absolutamente diferente. Yo no sé cuál será su camino. Por mucho que me esfuerce, no puedo verlo.

—De todos modos, ¿cómo podrías saberlo, mamá? —pregunté—. El señor Gregory dice que no cree en las profecías y asegura que el futuro no está prefijado.

Mi madre me rodeó los hombros con un brazo y me dio un ligero apretón para reconfortarme.

—Siempre queda algo para el libre albedrío —aseguró—. Pero a lo mejor una de las decisiones más importantes de tu vida sea la que tomes respecto a Alice. Ahora acuéstate y duerme bien, si puedes. Mañana al amanecer toma la decisión.

Hubo algo que no pregunté a mi madre: ¿qué había hecho para conseguir que los cadáveres del Monte del Ahorcado enmudeciesen? Sólo sabía que se trataba de una cuestión de la que ella no querría hablar. Hay cosas en todas las familias que uno no pregunta, porque sabes que te las responderán cuando llegue el momento.

Partimos poco después del alba. Me sentía hundido.

Ellie me acompañó hasta la verja. Me detuve allí un instante, hice un gesto a Alice con la mano para iniciar la marcha, y ella echó a andar con brío colina arriba, sin tan siquiera echar la vista atrás.

—Tengo que decirte algo, Tom —comentó Ellie—. Me duele decírtelo, pero debo hacerlo.

A juzgar por su tono de voz, supe que era algo malo. Asentí tristemente y me obligué a mirarla a los ojos, pero me llevé una sorpresa al ver que estaban llenos de lágrimas.

—Todavía eres bienvenido aquí, Tom —dijo Ellie apartándose el pelo de la frente y esforzándose por sonreír—. Eso no ha cambiado. Pero tienes que pensar en nuestro hijo.

De manera que, serás bienvenido en nuestra casa, pero nunca después del anochecer. Verás, ese tema es el que ha provocado que Jack estuviese últimamente de tan mal humor. Él no quería decirte hasta qué punto le molesta, pero era necesario que lo supieras: a Jack no le gusta nada tu nuevo oficio. Ni pizca. Le da escalofríos y teme por el bebé.

»Tenemos miedo, ya lo ves. Nos da miedo que te presentes de noche y que atraigas hasta aquí algo más. Tal vez llegarías acompañado de algo malo, y no podemos arriesgarnos a que ocurra una desgracia en la familia. Ven a vernos de día, Tom. Ven a vernos cuando el sol esté en lo alto y los pájaros canten.

Ellie me abrazó, y su gesto empeoró aún más las cosas. Yo me daba cuenta de que se había interpuesto una barrera entre nosotros y que las cosas habían cambiado para siempre. Me entraron ganas de llorar, pero de milagro logré contenerme. No sé cómo lo conseguí porque notaba un nudo en la garganta y no lograba articular palabra.

Esperé a que Ellie volviese a la granja y dediqué entonces toda mi atención a la decisión que debía tomar.

¿Qué debía hacer con Alice?

Esa mañana me había despertado con la certeza de que mi obligación era llevármela de vuelta a Chipenden. Parecía lo más correcto y lo más seguro, como si fuera un deber que debía cumplir. Cuando llevé los pasteles a Madre Malkin, había dejado que la ternura de mi corazón gobernase mis actos. Y ved adónde me había conducido esa decisión. Así pues, seguramente lo mejor era solucionar el asunto de inmediato, antes de que no tuviera remedio. Como dijo el Espectro, yo tenía que pensar en los inocentes que podrían salir mal parados en el futuro.

Durante el primer día de viaje no nos dijimos casi nada. Sólo le comuniqué que nos dirigíamos a Chipenden para ver al Espectro. Si Alice se enteraba de lo que iba a ocurrirle, seguro que no se habría quejado. Pero el segundo día, cuando nos acercábamos al pueblo y estábamos ya en las laderas bajas de las colinas rocosas, a poco más de un kilómetro y medio de la casa del Espectro, le conté lo que me había guardado para mis adentros y que me había atormentado desde el mismo momento en que me había dado cuenta de lo que contenían aquellos pasteles.

Estábamos sentados en un terraplén cubierto de hierba, junto al camino. Se había puesto el sol y empezaba a oscurecer.

—Alice, ¿tú nunca mientes? —pregunté.

—Todo el mundo miente alguna vez —replicó—. No seríamos humanos si no lo hiciéramos. Pero casi siempre digo la verdad.

—¿Y qué me dices de aquella noche en que estaba atrapado en la fosa? Cuando te pregunté por los pasteles... dijiste que en la casa de Lizzie no había otro niño. ¿Era verdad?

—Yo no vi a ningún niño.

—El primero que desapareció no era más que un bebé. No podría haberse extraviado él solo. ¿Estás segura?

Alice asintió, bajó la cabeza y fijó la vista en la hierba.

—Supongo que los lobos podrían habérselo llevado —comenté—. Es lo que pensaron los chicos del pueblo.

—Lizzie dijo que había visto lobos rondando por aquí. Podría ser —asintió Alice.

—¿Y qué me dices de los pasteles? ¿De qué estaban hechos?

—De sebo y trozos de cerdo, en su mayor parte. También tenían migas de pan.

—Entonces, ¿qué era esa sangre? La sangre de un animal no habría sido lo bastante buena para Madre Malkin, sobre todo porque necesitaba suficiente fuerza para doblar los barrotes de la fosa. Dime, Alice, ¿de dónde sacasteis la sangre de los pasteles?

Alice se echó a llorar. Aguardé pacientemente a que se calmase y repetí la pregunta.

—Bien, ¿de dónde la sacasteis?

—Lizzie dijo que yo todavía era una niña —respondió al fin—. Habían usado mi sangre muchas veces. Por lo tanto no pasaría nada si la utilizaban una vez más. No duele tanto como parece; al menos cuando ya te has acostumbrado. Además, ¿cómo podía detener a Lizzie?

Dicho esto, Alice se remangó la blusa y me mostró la parte alta del brazo. Todavía había luz suficiente para ver las cicatrices. Tenía muchas: algunas eran viejas y otras relativamente recientes. La más reciente no se había cerrado bien y aún le supuraba.

—Tengo más, muchas más. Pero no te las puedo enseñar todas —dijo Alice.

No supe qué decir y me quedé callado. Finalmente, tomé una decisión, y al poco rato proseguimos el camino en medio de la oscuridad y nos alejamos de Chipenden.

Había decidido llevar a Alice a Staumin, donde vivía su tía, porque no podía soportar la idea de que acabase en una fosa en el jardín del Espectro. Era demasiado horrible, y entonces recordé otra fosa. Recordé cómo Alice me había ayudado a salir del hoyo que había cavado Colmillo antes de que Lizzie *la Huesuda* viniese a buscar mis huesos. Pero, sobre todo, lo que hizo que me decidiera fue la historia que Alice acababa de contarme. Ella misma había sido una de las criaturas inocentes. Alice también había sido una víctima.

Subimos a la Pica de Parlick y de ahí enfilamos hacia el monte Blindhurst, al norte, sin descender nunca a los valles.

Me gustaba la idea de ir a Staumin. Ese lugar estaba cerca de la costa, y yo nunca había visto el mar, salvo desde la cima de las montañas. La ruta que escogí daba un rodeo, pero me apetecía explorar el terreno y me gustaba estar tan alto, cerca del sol. Además, parecía que a Alice no le molestaba en absoluto.

El viaje fue una delicia y disfruté en compañía de la niña, y por primera vez empezamos a conversar de verdad. También me enseñó muchas cosas, pues conocía más nombres de estrellas que yo, y se le daba de maravilla cazar conejos.

En cuanto a las plantas, Alice era una experta en algunas que el Espectro ni siquiera me había mencionado hasta entonces, como la belladona y la mandrágora. No creí todo lo que me decía, pero aun así anoté hasta el último detalle, porque a ella se lo había enseñado Lizzie, y pensé que sería útil aprender las creencias de las brujas. Alice sabía distinguir los champiñones de las setas venenosas, algunas de las cuales eran tan peligrosas que con un solo bocado podían pararte el corazón o volverte loco. Como yo llevaba a mano el cuaderno, bajo el título de «Botánica» llené tres páginas enteras de información útil.

Una noche, cuando nos quedaba menos de un día de camino para llegar a Staumin, nos acomodamos en un claro del bosque. Acabábamos de cocinar dos conejos en las brasas de una fogata, y la carne casi se nos deshizo en la boca. Después de comer, Alice hizo una cosa realmente extraña: se volvió para mirarme cara a cara, alargó el brazo y me cogió de la mano.

Nos quedamos un buen rato sentados así. Ella miraba fijamente las ascuas del fuego y yo contemplaba las estrellas. No quería soltarla, pero al mismo tiempo me sentía confuso. Tenía su mano izquierda en la mía y me sentí culpable porque era como si estuviese dando la mano a las tinieblas, y sabía que al Espectro no le haría ninguna gracia.

Me era imposible negar la verdad: algún día Alice se convertiría en una bruja. Fue entonces cuando entendí que mi madre estaba en lo cierto, pero no tenía nada que ver con las profecías. Se podía ver en la mirada de Alice, pues ella siempre había navegado entre dos aguas: no había sido ni del todo buena ni del todo mala. Pero ¿no nos pasa lo mismo a cada uno de nosotros? Nadie es perfecto.

Así pues, no retiré la mano, sino que me quedé sentado, quieto. Una parte de mí disfrutaba sosteniéndole la mano, cosa que resultaba reconfortante después de todo lo que había sucedido, mientras otra parte de mí sudaba de culpabilidad.

Alice fue la que retiró la mano. Después me acarició el brazo donde me había clavado las uñas la noche en que acabamos con Madre Malkin. Las señales se veían claramente a la luz de las brasas.

—Te he dejado mi marca ahí —dijo con una sonrisa—. Nunca se borrará.

Pensé que era un comentario muy extraño, y no estaba seguro de lo que quería decir. En casa marcábamos al ganado. Lo hacíamos para que se supiera que eran nuestras vacas y para impedir que las extraviadas se mezclasen con animales de las granjas vecinas. Entonces, ¿quería decir que ahora yo pertenecía a Alice?

Al día siguiente bajamos a una inmensa meseta que en parte estaba cubierta de musgo y cuyas peores zonas estaban empantanadas, pero al final dimos con el camino que nos condujo a Staumin. Nunca llegué a ver a la tía de Alice porque no quiso salir a hablar conmigo. No obstante, accedió a quedarse con su sobrina, y yo no pude protestar.

Cerca de allí había un río grande y ancho, y antes de partir hacia Chipenden, dimos un paseo por la ribera hasta el mar. A decir verdad, el mar no me impactó mucho, pues hacía un día gris y ventoso y el agua estaba del mismo color que el cielo. Había olas, grandes y encabritadas.

—Aquí estarás bien —dije intentando adoptar un tono animoso—. Será precioso cuando brille el sol.

—Tendré que sacarle el mejor partido —contestó Alice—. No puede ser peor que Pendle.

De repente sentí lástima por ella otra vez. A veces me sentía solo, pero por lo menos podía charlar con el Espectro. Sin embargo, Alice ni siquiera conocía bien a su tía, y el alborotado mar hacía que todo pareciese inhóspito y frío.

—Escucha, Alice, no creo que nos volvamos a ver, pero si alguna vez necesitas ayuda, intenta hacérmelo saber —me ofrecí.

Supongo que lo dije porque Alice era lo más parecido a un amigo para mí. Y, aun siendo una promesa, al menos no era tan atolondrada como la primera que le había hecho. No me comprometí a hacer nada en concreto. La próxima vez que me pidiese algo, lo consultaría previamente con el Espectro.

Me llevé una sorpresa porque Alice sonrió y en los ojos le brilló una extraña mirada. Eso me recordó lo que una vez me había dicho mi padre sobre las mujeres: que saben cosas que los hombres ignoran, y que cuando lo sospechas, nunca debes preguntarles en qué están pensando.

—¡Oh, volveremos a vernos! —exclamó Alice—. De eso no me cabe duda.

—Ahora tengo que marcharme —dije yo dándome la vuelta para partir.

—Te echaré de menos, Tom —añadió Alice—. No será lo mismo sin ti.

—Yo también te echaré de menos, Alice —afirmé sonriéndole.

Nada más pronunciar esas palabras, pensé que lo había dicho por pura cortesía. Pero no llevaba más de diez minutos de camino cuando me di cuenta de que estaba equivocado.

Lo había dicho convencido. Y ya me sentía solo.

He escrito casi todo este relato de memoria, pero algunos detalles los he extraído de mi cuaderno y de mi diario. Ahora estoy en Chipenden otra vez, y el Espectro está contento conmigo. Dice que progreso mucho.

Lizzie *la Huesuda* está en la misma fosa en la que el Espectro había retenido a Madre Malkin. Los barrotes han sido reforzados y, desde luego, no va a recibir ni un solo pastel de medianoche de mis manos. Por su parte, Colmillo está enterrado en el hoyo que excavó para usarlo como tumba para mí.

El pobre Billy Bradley ha retornado a su sepultura, fuera del cementerio de Layton, pero por lo menos ahora tiene los pulgares. Nada de esto es agradable, pero son gajes del oficio. Como dice mi padre: si no te gusta, te aguantas.

Y hay algo más que debería contaros: el Espectro está de acuerdo con lo que opinaba mi madre y cree que los inviernos se están haciendo cada vez más largos y que las tinieblas están ganando fuerza. Está convencido, pues, de que nuestro trabajo va a ser cada vez más difícil.

Por lo tanto, con esa idea en mente, seguiré estudiando y aprendiendo, porque, como me dijo una vez mi madre: «nunca sabes de lo que eres capaz hasta que lo intentas». Así que voy a intentarlo. Voy a intentarlo con todas mis fuerzas porque quiero que esté verdaderamente orgullosa de mí.

Ahora sólo soy un aprendiz, pero algún día seré el Espectro.

Thomas J. Ward

JOSEPH DELANEY *está casado, tiene tres hijos y cuatro nietos. Reside en el condado de Lancashire y el pueblo donde vive cuenta con su propio boggart, sepultado bajo la escalera de una casa próxima a la iglesia. Por increíble que parezca, la casa embrujada de* El aprendiz del Espectro *se inspira en un hecho real. De niño, Joseph vivía en una casa parecida en Preston, y tenía una pesadilla que se le repetía una y otra vez.: hacía mucho frío y de la carbonera salía una especie de sombra que lo cogía y se lo llevaba a las tinieblas. Para colmo, ¡su hermano tenía la misma pesadilla! Hoy Joseph ya no puede volver a aquella casa, porque ha sido demolida.*

Este libro utiliza el tipo Aldus, que toma su nombre
del vanguardista impresor del Renacimiento
italiano Aldus Manutius. Hermann Zapf
diseñó el tipo Aldus para la imprenta
Stempel en 1954, como una réplica
más ligera y elegante del
popular tipo
Palatino

* * *

* *

*

El aprendiz del espectro se acabó de imprimir
en un día de invierno de 2005, en los talleres
de Industria Gráfica Domingo,
calle Industria, 1
Sant Joan Despí
(Barcelona)

* * *

* *

*